Rhywle Fel Hyn
Atgofion Drwy Ganeuon

Rhywle Fel Hyn

Atgofion Drwy Ganeuon

Dafydd Iwan

Gwasg Carreg Gwalch

Argraffiad cyntaf: 2021
Hawlfraint geiriau'r caneuon: Dafydd Iwan ©Cyhoeddiadau Sain
Hawlfraint y gyfrol: Gwasg Carreg Gwalch 2021

Rhif Llyfr Safonol Rhyngwladol:
978-1-84527-801-4

CYNGOR LLYFRAU CYMRU

Cyhoeddwyd gyda chymorth Cyngor Llyfrau Cymru

Cynllun y clawr: Celt Madryn Iwan

Cyhoeddwyd gan Wasg Carreg Gwalch,
12 Iard yr Orsaf, Llanrwst, Dyffryn Conwy, Cymru LL26 0EH.
Ffôn: 01492 642031
e-bost: llyfrau@carreg-gwalch.cymru
lle ar y we: www.carreg-gwalch.cymru

Argraffwyd a chyhoeddwyd yng Nghymru

Cyflwynaf yr atgofion hyn
i Bethan, Caio a Celt

Cynnwys

Cydnabyddir yn ddiolchgar y lluniau ar y tudalennau a ganlyn:
11: Casgliad Geoff Charles, Y Cymro, Cynllun DigiDo, Llyfrgell Genedlaethol Cymru
17; 67-71: Croeso Cymru
41: Rali Annibyniaeth Caernarfon: Lleucu Meinir, YesCymru
87-89: Oscar Romero, Catholic News
93: Pren y 'Welsh Not' a ganfuwyd dan loriau Ysgol y Garth, Bangor
ac sydd i'w weld bellach yng nghanolfan Storiel, Bangor
121: Milwyr ym mrwydr Fallujah, The Nation

Cyflwyniad

Mae darllen llyfrau'r gyfres hon, 'Atgofion Drwy Ganeuon', wedi bod yn brofiad hynod o ddifyr i rywun fel fi sydd wedi bod yn cyfansoddi a chanu caneuon gydol fy mywyd. Wrth ddarllen am brofiadau cyfansoddwyr eraill, mae rhywun yn cael golwg newydd rywsut ar y berthynas ryfedd sy'n bodoli rhwng cyfansoddwr a'i ganeuon.

Ar lefel hollol arwynebol, mater o osod geiriau ac alaw at ei gilydd i greu difyrrwch dros dro yw cyfansoddi cân, a dim byd mwy na hynny. Ond o ddarllen y gyfres hon, mae'n amlwg bod caneuon yn datgelu storfa o wybodaeth am y cyfansoddwyr – eu plentyndod a'u magwraeth, y dylanwadau fu arnyn nhw, eu profiadau dwys a digri, a chant a mil o bethau eraill sy'n gallu troi'r caneuon yn ddogfennau cymdeithasol a diwylliannol o bwys.

Cymerwch er enghraifft Linda Griffiths; ymhle arall gewch chi ddarlun mor fyw a chynnes o fywyd merch ffarm o Faldwyn yn niwedd yr ugeinfed ganrif, a'r berthynas gymhleth cyd-rhwng y Gymraeg a'r Saesneg, rhwng y diwylliant traddodiadol a'r modern, a rôl allweddol y Ffermwyr Ifanc, yr Urdd a'r capel wrth ffurfio cyfraniad arbennig Plethyn i adloniant Cymraeg y cyfnod?

Yn atgofion Neil Rosser, cawn ddarlun cwbwl wahanol o fagwraeth mewn ardal ôl-ddiwydiannol, ond eto lle mae perthynas y ddwy iaith a chyfraniad y capel yn elfennau yr un mor allweddol, a golwg arall wahanol ac annwyl o weithwyr ffatri yn sir Linda.

Aiff Emyr Huws Jones â ni i sawl man o Langefni'r 70au, gan osgoi'r diwylliant Cymraeg traddodiadol a'r capel fel y pla, gyda'i dafod yn ei foch a'i galon – os caf gam-ddyfynnu – yn sownd ym mhoced cesail ei gof. Pob un yn wahanol, ond pob un yn debyg, a'u caneuon yn cyfrannu at brofiad cyfoethog bod yn Gymry yn yr ugeinfed ganrif ac wedyn.

Rwyf fi wedi cael cyfle mewn ambell i gyfrol arall i sôn am gefndir rhai o 'nghaneuon, ond fy mwriad yn y gyfrol fach hon yw ceisio gosod rhai o fy nghaneuon (gan gynnwys rhai llai adnabyddus) yn eu cyd-destun, a cheisio tynnu ohonyn nhw gymaint ag y medraf o wybodaeth am brofiadau fy mywyd, ac am Gymru a'r byd a'u pobol, gan obeithio y bydd yr atgofion a'r sylwadau o ddiddordeb i rywun yn rhywle.

Diolchaf i Lyn Ebenezer a'r Wasg am eu gwaith trylwyr, i'r ffotograffwyr am eu lluniau, ac i Celt am ddylunio'r clawr.

DI

2021

1.
Carlo

Mae gen i ffrind bach yn byw ym Mycingham Palas,
A Charlo Windsor yw ei enw e,
Tro dwetha yr es i i gnoco ar ddrws ei dŷ
Daeth ei fam i'r drws a medde hi wrtha i:

Cytgan:

Carlo, Carlo, Carlo'n whare polo heddi, heddi,
Carlo, Carlo, Carlo'n whare polo gyda dadi, dadi,
Ymunwch yn y gân daeogion fawr a mân,
O'r diwedd mae gyda ni Brins yng Ngwlad y Gân.

Fe gafodd e'i addysg yn Awstralia, do, a Sgotland,
Ac yna i Aberystwyth y daeth o
Colofn y diwylliant Cymraeg, cyfrannwr i Dafod y Ddraig,
Aelod o'r Urdd, gwersyllwr ers cyn co'!

(Cytgan)

Mae'i faners e'n berffeth, fe wedith e plis a thenciw,
Dyw e byth yn cico'i dad nac yn rhegi'i fam
Mae e wastad wedi cribo'i wallt, a'i goleri fe wastad yn lân,
Dyw e byth yn pigo'i drwyn nac yn poeri i'r tân!

(Cytgan)

Bob wythnos mae e'n darllen y *Cymro* a'r *Herald*,
Mae e'n darllen Dafydd ap Gwilym yn ei wely bob nos,
Mae dyfodol y wlad a'r iaith yn agos at ei galon fach e
A ma'n nhw'n dweud 'i fod e'n perthyn i'r FWA!

(Cytgan)

Mae Caernarfon wedi gweld ei siâr o ralïau gwleidyddol:
Undeb y Chwarelwyr; croesawu Tri Penyberth o garchar;
Lloyd George yn y Pafiliwn; Rali Annibyniaeth Gorffennaf 2019
a hon – Rali Cymdeithas yr Iaith yn erbyn yr Arwisgo
ar Ddydd Gŵyl Dewi, 1969.

Mi ddechreuaf yn y gwaelod, gyda'r teulu brenhinol Prydeinig.
I George Thomas a'i debyg y mae'r diolch am y ganig fach
ddiniwed hon sydd wedi bod yn gymaint o ddraenen yn ystlys
cymaint o bobol – gan fy nghynnwys i – ers dros hanner canrif.
Nhw yn Llywodraeth Lafur y dydd gafodd y syniad disglair
mai'r ffordd i atal twf y cenedlaetholdeb Cymreig a welwyd yn
is-etholiadau diwedd y 60au oedd cynnal Arwisgo Brenhinol
ym mhrifddinas y Gymru Gymraeg. Ac os yn wir mai dyna oedd
y symbyliad y tu ôl i'r sioe, gallwn ddatgan yn bendant mai
methiant fu'r cyfan gan fod gan Gymru ei Senedd etholedig ei
hun erbyn hyn, a gobaith am well i ddod.

Roedd gen i, fel Cadeirydd Cymdeithas yr Iaith ar y pryd, deimladau cymysg am y peth. Ar y naill law, doedden ni ddim yn gefnogol i'r Arwisgo o gwbwl. Ond mater gwahanol oedd a ddylai'r mudiad iaith – oedd ynghanol ymgyrch boeth yr arwyddion ffyrdd ar y pryd – arwain yr ymgyrch yn erbyn yr Arwisgo. Fy marn i, am ei gwerth, oedd y dylai'r Gymdeithas sticio at ei phriod waith, sef datgan gwrthwynebiad cyhoeddus i'r Arwisgo drwy gynnal rali neu ddwy, ond canolbwyntio ar yr ymgyrch arwyddion. A dyna, i bob pwrpas, a benderfynwyd. Ond druan â ni! Wrth i beiriant propaganda'r Llywodraeth a'r Sefydliad Prydeinig godi stêm, cawsom ein tynnu fwyfwy i mewn i grochan berw'r Arwisgo. A Chymdeithas yr Iaith oedd yn cael ei gweld fel arweinwyr yr ymgyrch ddieflig yn erbyn darpar 'Dywysog Cymru'.

Ni allaf wadu fod y gân 'Carlo', a fwriadwyd fel eitem ysgafn yn y noson a gynhaliwyd ym Mhafiliwn Pontrhydfendigaid, wedi chwarae rhan go fawr yn yr holl beth. Roedd hi'n rhoi rhywbeth penodol i gefnogwyr yr Arwisgo a'r teulu brenhinol a'r Gyfundrefn Brydeinig gael eu dannedd ynddi. A chyn pen dim, fi oedd y pen-dihiryn am feiddio ymosod ar y gŵr ifanc glandeg yr oedd Cymru ar fin ei gael yn Dywysog arnom – a gŵr ifanc oedd, ar ben popeth arall, wedi 'dysgu Cymraeg'.

Helpwyd yr achos yn ddirfawr gan y BBC wrth wahardd chwarae'r gân. Ac aeth John Eilian (golygydd teyrngar papurau'r *Herald* yng Nghaernarfon, a Phrifardd) dros ben llestri'n llwyr drwy annog pob Cymro gwerth ei halen i beidio prynu'r fath sothach cableddus. Gyda'r fath gyhoeddusrwydd, allai'r gân ddim methu! Saethodd i frig Siart Recordiau'r *Herald*. (Fedrai hyd yn oed John Eilian ddim peidio cyhoeddi siart yr oedd o'n gyfrifol am ei bodolaeth.) Ac yr oedd Olwen Edwards a'i chwaer-yng-nghyfraith yn swyddfa Cwmni Welsh Teldisc yn Abertawe yn gweithio rownd y cloc yn stwffio llun Carlo i gloriau'r record am wythnosau. (Un o baradocsau doniol yr holl hanes oedd bod Olwen Edwards, gweddw John Edwards, un o arloeswyr recordiau Cymraeg, yn frenhinwraig i'r carn, ac yn meddwl y byd o Prince Charles; ond busnes yw busnes!)

O'r holl ganeuon a gyfansoddais erioed, hon sydd wedi ennyn yr ymateb mwyaf eithafol, o blaid ac yn erbyn. Hon arweiniodd at lwyth o lythyron dienw bygythiol a sglyfaethus (be fyddai'r ymateb pe bai gennym 'gyfryngau cymdeithasol' ar y pryd, alla'i ddim ond dychmygu), ambell i barsel mochaidd drwy'r post, a sawl rhybudd imi beidio mentro i Gaernarfon byth eto, ar boen fy mywyd. Ar ben hyn, roedd yna lythyron i'r wasg, yn Gymraeg a Saesneg, yn fy nghystwyo'n ddidrugaredd am fod mor goman â mentro pardduo person o dras mor bendefigaidd. Ac y mae'n bwysig cofio hefyd fod yna garfan o Gymry digon parchus a rhesymol, megis y diweddar Athro Jac L. Williams ac R.E. Griffith yr Urdd, oedd yn dadlau y dylem ddefnyddio'r holl achlysur, ac yn enwedig y ffaith fod Carlo'n 'dysgu Cymraeg', o blaid yr iaith, ac fel cyfle i hyrwyddo achos Cymru a Chymreictod.

Fel y soniais eisoes, methiant fu'r Arwisgo i droi'r llanw ac i atal twf cenedlaetholdeb yng Nghymru. Ond bu'n llwyddiant os mai rhannu Cymru a chreu drwgdeimlad oedd y bwriad. Dwi'n berffaith siŵr, fodd bynnag, bod terfysg y cyfnod hwn (o gofio'r holl gythrwfl a achoswyd gan yr ymgyrch arwyddion ffyrdd, Achos Cynllwynio Abertawe, Achos yr FWA, y carchariadau mynych a'r protestiadau torfol) wedi bod yn allweddol i newid yr hinsawdd gwleidyddol yng Nghymru, i ddod â'r iaith Gymraeg i ganol y llwyfan gwleidyddol, ac yn y pen draw i newid agwedd y rhan fwyaf o'r pleidiau yng Nghymru, i baratoi'r ffordd ar gyfer sawl Deddf Iaith ac i sefydlu Senedd i Gymru. Ni cheir unrhyw newid gwleidyddol o bwys heb rywfaint o derfysg.

Un o ail-gartrefi Carlo yw ffermdy hyfryd Llwyn-y-wermod ger Myddfai yn Sir Gaerfyrddin. Pan ges i wahoddiad i'w gyfarfod yno union hanner canrif wedi sioe'r Arwisgo (sioe nad oedd o mwy na finnau yn awyddus i'w dwyn i gof gyda llaw), mi fûm yn pendroni am sbel cyn penderfynu derbyn y gwahoddiad. Erbyn hynny, yr oeddem fel gwledydd y Deyrnas

Unedig dros ein pennau yng nghyfnod erchyll Brexit, Trump a Johnson. Yr oedd pob parch i wleidyddiaeth a gwleidyddion yn diflannu'n gyflym. Roedd casineb noeth ar gynnydd wrth i'r chwith dyfu'n fwyfwy llipa a'r dde dyfu'n fwyfwy eithafol a hiliol. Ac yr oedd yr Aelod Seneddol Jo Cox wedi ei llofruddio gefn dydd golau. Gwelwn y gwahoddiad fel cyfle i ddangos nad oeddwn wedi newid dim ar fy naliadau, na fedrwn fyth gefnogi trefn Frenhinol ac felly na allwn dderbyn Charles fel Tywysog Cymru, ond nad oedd hynny'n golygu fy mod yn ei gasáu. Does bosib nad oes modd mewn cymdeithas wâr i wrthwynebu'n ffyrnig heb gasáu, i bleidio newid y drefn o redeg gwlad yn llwyr heb gasineb personol neu hiliol.

Felly, wedi hanner can mlynedd o ganu amdano ar hyd a lled sawl gwlad, cefais gyfle i ddweud wrth Carlo mai'r dyfodol a welwn i i Brydain oedd fel casgliad o genhedloedd annibynnol yn cydweithio gyda'i gilydd fel gwledydd cydradd, ac yn edrych allan i'r byd i geisio creu byd gwell. Byddai pobol Cymru yn cael refferendwm yn hwyr neu'n hwyrach i benderfynu pa rôl, os o gwbwl, fyddai'r teulu brenhinol yn ei chwarae yn y gwledydd Celtaidd. Yr oedd yntau yn awyddus iawn i egluro mai un o'i flaenoriaethau oedd dod i wybod mwy am wir natur gwleidyddiaeth pob cenedl Brydeinig, ac y byddai'n fuan yn cyfarfod rhai o arweinwyr Sinn Féin yng Ngogledd Iwerddon.

O gofio mai un cyfieithiad posib o 'Lwyn-y-wermod' fyddai 'Wormwood Scrubs', daeth Carlo yn beryglus o agos i ddatgan ei fod yntau'n garcharor, yn gaeth i system, ac mai gwneud y gorau o'i sefyllfa a'i statws i hyrwyddo yr hyn y credai ef oedd yn bwysig oedd ei dynged. A beth oedd o'n ei ystyried yn bwysig? Cadw traddodiad yn fyw ym mhob maes, a gwarchod yr amgylchedd ym mhob gwedd arni – yn arbennig ym meysydd cerddoriaeth a chrefftau traddodiadol, byd natur a phensaernïaeth.

Roedd gwrando arno'n traethu yn brofiad afreal braidd, ond does dim modd amau ei frwdfrydedd am y pethau hyn, na'r gwaith y mae yn ei gyflawni (heb sôn am yr arian sy'n llifo i'w goffrau o'i stadau enfawr). A'r hyn oedd yn dod i'r meddwl oedd geiriau ei ddiweddar wraig yn y cyfweliad enwog hwnnw ar *Panorama* y byddai bod yn frenin yn ei rwystro rhag gwneud y pethau oedd o wir ddiddordeb iddo.

Wrth imi hel yr atgofion hyn am y cyfarfyddiad rhyfedd ac annisgwyl hwn gyda'r hen gyfaill brenhinawl, mae cyfres 'The Crown' wedi ail-ddechrau dangos ar Netflix, cyfres sydd at ei gilydd yn dangos y teulu brenhinol Prydeinig mewn golau digon gwantan, gydag ysbeidiau o gaddug dudew. Roedd y bennod ar Michael Fagan, y gŵr a dorrodd i mewn i Balas Bycingham ddwywaith, ac eistedd wrth droed gwely'r frenhines, yn ardderchog ac yn fy atgoffa o'r sefyllfa yn Llwyn-y-wermod. Plismyn arfog wrth fynedfa'r fferm, a phawb yn dangos ei basbort. Swyddogion diogelwch yn llenwi un o adeiladau'r fferm, ac yn sleifio rownd pob cornel. Ond wnaeth neb ofyn beth oedd yn fy mhocedi, heb sôn am fy archwilio! Gallwn fod wedi recordio'r sgwrs ar y ffôn symudol (taswn i'n gwybod sut mae gneud). Neu waeth – mi allwn fod yn cario gwn. Da gweld eu bod â ffydd ynof fel heddychwr. Neu ai'r gwir yw fod systemau diogelwch y teulu brenhinol yn drybeilig o sâl? A ninnau'n talu cymaint amdanynt!

2.

Cân y Glöwr

(Alaw: Tradd.)

Fe gerddai henwr yn araf i lawr hyd heol y cwm,
Heibio i'r stryd lle bu'n chwarae gynt, ond heddiw oedd unig a llwm.

Roedd creithiau'r glo ar ei dalcen a chyrn o'r pwll ar ei law.
Ac wrth iddo gerdded hyd lwybr y gwaith fe glywai ryw leisiau o draw.

Fe glywai leisiau y glowyr wrth weithio yn nhwyllwch y ffas,
Alun Tŷ Canol a'i denor mor fwyn, a Tomos yn cyd-ganu'r bas.

Fe gofiai am hwyl yr hen ddyddiau pan oedd bywyd y cwm yn ei fri,
Fe gofiai y capel a'r llyfrgell yn llawn, lle heddiw does ond dau neu dri.

A heddiw mae Tomos ac Alun yn naear y fynwent ill dau,
A does dim ar ôl yn awr i'r hen ŵr ond atgofion a phwll wedi cau.

(Cofeb Genedlaethol Glowyr Cymru, Senghennydd)
Ar draws rhannau helaeth o'r de a'r gogledd-ddwyrain, mae'r
diwydiant glo wedi gadael ei ôl ar Gymru, ac fel bachgen o
Frynaman, mae'n rhan o fy niwylliant innau.

Roedd y gân werin Albanaidd 'The Four Marys' wedi apelio ataf yn fawr, er na allaf gofio pwy glywais i yn ei chanu y tro cynta – mae'n bosib mai'r Corries o'r Alban, neu Joan Baez efallai. Wrth ailwrando ar Joan Baez heddiw ar YouTube, cofiaf yn dda fel yr oeddwn wedi gwirioni ar ei llais – a'i safiadau gwleidyddol o ran hynny. Mae ganddi fersiwn gynnar o'r faled sy'n ein hatgoffa o wreiddiau diddorol y gân – diddorol, ond braidd yn gymysglyd a dweud y lleia.

Yn y fersiwn fwya adnabyddus o'r 'Four Marys', cyfenwau'r bedair Mair oedd Beaton, Seaton, Carmichael a Hamilton. A'r gred gyffredinol yw mai pedair morwyn Mary 'Queen of Scots' o'r 16eg ganrif oedden nhw, a'r faled yn dweud fod un (Hamilton mae'n debyg) wedi cael ei dienyddio am ladd y plentyn a gafodd gydag ail ŵr y frenhines, Lord Danley. Ond does dim tystiolaeth hanesyddol i brofi hyn, a chyfenwau cywir morynion y frenhines Mary, mae'n debyg, oedd Beaton, Seaton, Fleming a Livingston. Peidiwch byth â dysgu hanes o ganeuon gwerin!

Mae 'Baled Mary Hamilton' ar yr un alaw yn adrodd hanes o'r Alban yn y 18fed ganrif, lle cafodd Mary Hamilton blentyn siawns gyda Pedr Fawr (*Peter the Great*). Fe'i lladdodd, a chafodd hithau ei dienyddio. Ac yn yr achos yma, mae tystiolaeth ar glawr i brofi bod merch o'r enw Mary Hamilton yn wir wedi ei dienyddio yn 1719. Y tebyg yw bod y ddau hanes wedi eu cymysgu a'u cyfuno yn nhreigl y blynyddoedd, fel sy'n digwydd gyda nifer o ganeuon gwerin traddodiadol, a'r fersiwn gymysg honno a genir gan Joan Baez.

Ta waeth, roedd yr alaw wedi gwneud argraff fawr arna i. A phan ddes i gyfansoddi cân i lowyr Brynaman, y pentre lle ces i fy magu, hon oedd yr alaw a ddewisais. Cofiaf i'r geiriau lifo'n ddigon didrafferth wedi creu'r darlun yn y pennill cynta o'r hen löwr yn cerdded ar hyd llwybr yr hen waith glo. Wrth i'r atgofion lifo'n ôl, clywai'r hen löwr leisiau a sgwrsio ffraeth ei gyd-weithwyr, a chofio'n arbennig am ganu dau o'i gyfeillion, Alun Tŷ Canol (fyddai'n cael ei ynganu yn 'Cenol' ym

Mrynaman) y tenor a Tomos y baswr. Er mai caled oedd bywyd y pyllau glo, roedd cwmnïaeth a diwylliant y cwm yn gynnes a bywiog, a chofio'r dyddiau da hynny a wnâi'r hen ŵr wrth gerdded y llwybr. Ond er mor felys yr atgofion, mae'r gân yn gorffen gyda'r realiti trist fod y cantorion yn eu bedd, y pwll wedi cau, a dim ond y creithiau sy'n aros.

Mae hiraeth ac atgofion yn chwarae rhan bwysig yn fy nghaneuon, ac mi wn fod rhai'n credu bod hynny'n gwneud y caneuon yn rhy sentimental. Ond fel y caf gyfle i esbonio wrth sôn am gân arall, pan fyddaf yn mynd ar drywydd hiraeth yn fy nghaneuon, byddaf bron yn ddieithriad yn taro nodyn bach o rybudd na ddylem aros yn hiraethu am y gorffennol yn rhy hir. Rhaid cofio'r gorffennol, a'i ddeall orau gallwn, er mwyn symud ymlaen. Heddiw ac yfory sy'n bwysig.

Ac wrth imi fynd yn ôl i Frynaman heddiw, mae'r cyfan wedi newid. A'r newid mwya yw fod glaswellt a llwyni yn tyfu lle'r oedd y tipie duon, a melinau gwynt yn cynhyrchu'r ynni bellach yn lle'r glo. Mae'r glowyr bron a marw o'r tir, ond mae ambell graith las i'w gweld o hyd yn tystio i'r llafurio a'r diodde a fu.

Atgofion melys iawn sy gen i o Frynaman, pentre'r glowyr a'r Blaid Lafur, pentre'r rygbi a'r criced, yr operâu a'r steddfodau, y capeli a'r sinema wythnosol. Mae ambell un yn synnu fod gen i gymaint o ddiléit mewn criced; onid gêm y Saeson yw honno? Dim o'r fath beth! Roedd y cae criced yn agos iawn i'n cartre ni ar Hewl Bryn Avenue, ac yr oedd gwylio'r gemau yn yr haf yn rhan bwysig o'n hadloniant ni. A'r hyn sy'n dod yn ôl imi wrth gofio am hynny yw arogl cryf y gwair newydd ei dorri ar gyfer y gêm, a hwnnw'n bentwr twym y tu ôl i'r pafiliwn pren. (Mae 'pafiliwn' yn enw crand ar sied mor fach, falle, ond pafiliwn oedd e, a dyna ben).

Roedd cricedwyr Brynaman yn cymryd y chware o ddifri, ac yr oedden ninne'r plant yn cael chware ar y cyrion yn ystod yr wythnos, a 'Howzzat!' yn rhan naturiol o'n geirfa. Ac un reol bwysig wrth inni chware oedd 'six and out'; os oedd rhywun yn llwyddo i daro'r bêl dros y berth i Gae Moses, roedd e'n cael chwech rhediad ond yn colli'i wiced, a byddai'r gêm ar stop am hydoedd tra bydden ni'n chwilio am y bêl golledig ymysg y drain a'r mieri.

Mae nifer o'n cyfoedion ym Mrynaman a'r cylch yn adnabyddus i Gymru gyfan ers blynyddoedd: pobol fel Roy Noble y darlledwr amryddawn, Glan Davies yr actor a'r arweinydd, Alun Tudur y sylwebydd rygbi a rasio ceffylau, ac Alun Wyn Bevan y darlledwr. Roedd tad-cu a mam-gu Alun Wyn yn byw dros y ffordd i ni, a'i dad yn un o gewri'r Clwb Criced. I lawr y cwm ar y Waun roedd cartre'r digymar Huw Llywelyn, a magwyd sawl chwaraewr rygbi peryglus yn y cwm. Clem Thomas oedd y cynta imi glywed amdano yn chware i Gymru, o Gwmllynfell gerllaw yr hanai R.H. Williams, ac ar y Waun a Glanaman y magwyd dau o'r cewri mwy diweddar, Gareth Edwards a Shane Williams. Ar ein hewl ni ym Mryn Avenue, roedd y tri brawd John Elgar, Eurfyl ac Elis Wyn yn chwaraewyr tan gamp. Ac o droi at bethau mwy llenyddol, roedd cartre'r bardd dawnus Bryan Martin Davies rownd y gornel, Siôn Eirian yn byw dros y ffordd a Derec Llwyd Morgan draw yng Nghefn Bryn Brain.

Rwy'n cyfeirio at hyn oherwydd nid myth yw'r sôn am lowyr diwylliedig, mwy na chwarelwyr diwylliedig. Roedden nhw'n gymysg oll i gyd wrth reswm. Ond yr oedd yn ardal y pylle glo, fel yn ardal y chwareli llechi, draddodiad byw o ymddiddori mewn llenyddiaeth, gwleidyddiaeth a chrefydd yn ogystal â rygbi, bocsio a rasio ceffyle. Roedd tad dau o'r bois fydde'n chware criced gyda ni yn un o ddiaconiaid Gibea, capel fy nhad. Gof yn un o'r pylle glo oedd e wrth ei waith, ac yr oedd sawl enghraifft o'i grefft yn ein tŷ ni. Cofiaf ddau yn arbennig: procer cywrain gyda charn wedi'i blethu, ac offeryn i wneud pelennau tân o gymysgedd o sment a llwch y glo – dyfais ardderchog i sicrhau na fyddai llwchyn o lo yn cael ei wastraffu, ac i gadw'r tân i fynd drwy oriau hir y gaea. A'r gof-ddiacon hwn a gofiaf yn trafod cyfrol Islwyn Ffowc Elis *Cyn Oeri'r Gwaed* am hydoedd yn yr ardd, gymaint oedd e wedi cael blas ar yr ysgrifau.

A sôn am ardd, roedd y gof-ddiacon yn arddwr heb ei ail, fel cynifer o'i gyd-lowyr, fel pe bai gorfod gweithio dan ddaear yn gneud iddyn nhw wir werthfawrogi trin y pridd yng ngolau haul a llygaid goleuni.

'Cân y Glöwr' yw fy nheyrnged fach i felly i ardal y glo carreg – glo gore'r byd – a glowyr y Gwter Fawr.

3.

Esgair Llyn

(Alaw: Pete St. John)

Bob bore yn ei dro roedd hynt y dydd yn dechrau gyda'r wawr
A'r traed yn dilyn llwybrau hen y pridd,
Roedd pob dydd yn newydd ddydd, a phob cam yn gwbwl rydd
A phatrwm byw yn glir yn Esgair Llyn.

Cytgan

Mae'n dawel yn awr yn Esgair Llyn, lle gynt y bûm yn dysgu cân y byd,
Ond mae'r gwaed yn llifo'n gynt, a'r gân yn fyw fel cynt,
A Chymru'n fyw o hyd yn Esgair Llyn.

Pan af fi yn ôl, mi welaf luniau ddoe ar hyd y lle,
A chofiaf hwyl a gwres y c'naea gwair,
Mae'r hen gymdeithas wedi mynd, a'r gwynt sy'n chwythu lle mynn
I ddwyn atgofion bore oes o Esgair Llyn.

(Cytgan)

Wrth sefyll yma'n awr, mi glywaf dynfa'r gwreiddiau dan fy nhraed,
A chlywaf gân cyndadau yn y gwaed,
Ac ar wyneb hen y tir mae'r llwybr i'w weld yn glir
Yn arwain at yfory Esgair Llyn.

(Cytgan)

Does dim ar ôl bellach o dyddyn Esgair Llyn, a hwn oedd y darn olaf o'r talcen i gael ei ddymchwel; ond erys yr hud.

Alaw arall a aeth â 'mryd o'r tro cynta y clywais hi yw 'The Fields of Athenry'. Pan anfonodd Ray Gravell gasét o'r Wolfetones drwy'r post yn crefu arna'i i roi geiriau Cymraeg arni, mi wyddwn na allwn – ac na fynnwn – wrthod ei wahoddiad taer. Wedi gwrando arni droeon – ond heb graffu'n ormodol ar y geirie gwreiddiol – daeth atgofion am Esgair Llyn i'm meddwl. Peidiwch gofyn imi pam – mae rhai pethe am gyfansoddi geirie cân sy'n ddirgelwch y tu hwnt i esboniad. Y cyfan y gallaf ddweud yw mai Esgair Llyn ddaeth i'm meddwl, a'r cof am y gwyliau difyr a dreuliais i a'm brodyr Huw ac Arthur ar fferm Wncwl Morus ac Anti Sera yn Aberhosan.

Nantyfyda oedd enw'r fferm, a thyddyn ar dir y fferm, ar gyrion y ffridd, oedd Esgair Llyn. Erbyn i mi a'm brodyr fynd ar wyliau i Nantyfyda – bob Pasg a haf yn niwedd y 40au a dechrau'r 50au – doedd neb yn byw yn Esgair Llyn, neb hynny yw ond y bustych a'r heffrod yr oedd gan Wncwl Morus gymaint o feddwl ohonyn nhw. Ond roedd rhyw hud rhyfedd yn perthyn i'r lle i ni yn blant. Rhedai afon Dulas (mwy o nant nag o afon gan ei bod mor agos i'w tharddle) heibio i'r fan, ac yr oedd dwy ffordd i'w chroesi – drwy'r dŵr ar gefn tractor, neu dros bompren ar droed. A doedd croesi'r bompren honno ddim yn hawdd, yn enwedig os oeddech yn cario llond basged o frechdane i'r dynion adeg cynhaea gwair. Mae'n siŵr gen i fod gan y cynhaea gwair lawer i'w wneud â hud Esgair Llyn i mi – yr haul di-dor (be ddigwyddodd i'n hafau dwedwch?), blas bendigedig y brechdane a'r menyn cartre wedyn a'r 'ginger beer' cartre. A'r daith hir anturus yn ôl o'r ffridd i'r fferm ar ben y llwyth o wair (antur y byddai rheolau iechyd a diogelwch yn ei gwahardd heddiw mae'n siŵr!).

Ond yr oedd rhesymau eraill dros apêl Esgair Llyn. Roedd yna bysgod yn yr afon, a Huw fy mrawd wrth ei fodd yn ymarfer y grefft o gosi brithyll a ddysgodd yn nyfroedd yr Aman. Roedd yna ddigonedd o gerrig bach gwastad oedd yn ddelfrydol ar gyfer eu sgimio dros ddŵr y pwll ger y fan lle croesai'r tractor. Ond uwchlaw pob dim roedd yno awyrgylch arbennig iawn, yr awyrgylch rhyfedd hwnnw sy'n perthyn i fannau diarffordd, 'pell o bob man', ond eto sy'n llawn o fwrlwm y gorffennol.

Wyddwn i fawr ddim am y gorffennol hwnnw nes imi recordio'r gân, ac i bobol ddechrau sôn wrthyf am eu cysylltiad arbennig hwy â'r lle. Daeth llythyr unwaith o berfeddion Lloegr, oddi wrth un o ddisgynyddion teulu sipsiwn Abram Wood, yn dweud fel y bu perthnasau iddi hi yn byw yn Esgair Llyn. Ac yn wir, wedi holi ymhellach, roedd hynny'n ffaith. Daeth llythyr arall oddi wrth gyfaill o Ysbyty Ifan yn amgáu dau englyn 'buddugol yng Nghyfarfod Llenyddol Aberhosan, Gwener y Groglith, 1871'. Roedd yr englynion (rhai braidd yn wallus eu cynghanedd gwaetha'r modd) yn deyrnged i 'Beti Jones, Esgyrllyn am ei medrusrwydd fel llawfeddyg'. Mae un o'r llinellau yn dweud fel hyn:

'All y dail wella dolur;'

Felly dwi'n cymryd mai delio mewn meddyginiaethau naturiol oedd yr hen Beti, ac nid llawfeddygaeth yn ei ystyr cyfoes.

Cofiai un hen ŵr am weinidog a fu'n byw yno, ac oedd yn enwog am fynd i'w oedfaon ar y Sul ar gefn ceffyl – fel Pantycelyn gynt. Clywais yn ddiweddarach pwy oedd y gweinidog-farchog hwnnw – neb llai na'r emynydd G. Penrith Thomas. Mae ganddo un emyn yn *Caneuon Ffydd* dan yr enw 'Penrith' (rhif 77). Mae'n emyn hyfryd sy'n dechrau gyda'r llinellau:

'Ymddiried wnaf yn Nuw
Er dued ydyw'r nos...'

A dyw hi ddim yn gofyn gormod o ddychymyg i feddwl am yr hen bregethwr yn taro ar y geiriau hynny wrth farchogaeth adre un nos Sul dywyll ar hyd lonydd (be 'di lluosog 'wtra' tybed?) cul a throellog Maldwyn. Ond uchafbwynt yr emyn i mi yw cwpled clo'r pennill cynta:

'Mae nos a Duw yn llawer gwell
Na golau ddydd a Duw ymhell.'

Bu farw Penrith Thomas yn 1952, pan oedd fy mrodyr a minnau yn chwarae yn afon Esgair Llyn, a'r gwartheg wedi hen feddiannu'r tŷ.

Mae dau hanesyn arall yn dod i'r meddwl am y lle hudolus hwn. Roeddwn yn canu unwaith yng Nghlwb Rygbi Machynlleth, ac ar ddiwedd y noson daeth llanc ifanc ataf yn amlwg â rhywbeth yn pwyso ar ei feddwl.

'Mae gen i gyfaddefiad i'w wneud,' meddai, 'Fi oedd yn gyrru'r JCB ddaru chwalu Esgair Llyn, ac y mae'r peth yn fy mhoeni bob tro y bydda i'n clywed y gân.'

Roeddwn yn gwybod bod waliau'r hen ddyddyn wedi dirywio ers blynyddoedd, ac mai mater o ddiogelwch oedd eu chwalu yn y diwedd, a dwedais wrth y gŵr ifanc am beidio â phoeni dim. Ond fedrwn i ddim llai na theimlo rywsut y noson honno fod yna bennod arall wedi cau yn hanes y lle.

Wncwl Morus bia'r hanesyn arall; yn ei flynyddoedd olaf, roedd yn byw gyda'r cyflwr 'dementia', ac fel sy'n digwydd yn aml gyda'r clefyd creulon hwnnw, wrth i'w gof 'byr' ddirywio, roedd ei atgofion am ddyddiau ei blentyndod yn cryfhau, a chlywais hanesion ganddo na chlywswn erioed o'r blaen. Cofiai mewn manylder y diwrnod wnaeth y teulu symud o fferm Caeau Duon, Carno (lle cafodd Morus a fy mam a'u chwaer Lilian eu magu) i Nantyfyda, ac yntau'n 'gòg bech' wyth oed yn cerdded gyda'r defaid yr holl ffordd i helpu ei dad i gadw trefn ar y ddiadell. Mae'n debyg y bydden nhw wedi gadael y ffordd fawr yn Nhalerddig, a bwrw ar draws gwlad drwy Bontdolgadfan a Thalywern i dorri rhywfaint ar y siwrne. Ond roedd yn bymtheg milltir o leia – tipyn o dreth ar goese wythmlwydd! Mynd heibio i Nantyfyda ac i Esgair Llyn a gollwng y defaid i'w ffridd newydd, a'r còg wedi llwyr ymlâdd. Cafodd gynnig gan breswylwyr Esgair Llyn i aros yno dros nos, ac mi gysgodd, medde Wncwl Morus dan wenu, tan amser te drannoeth.

Mae gen i lawer o atgofion da am ganu'r gân hon mewn gwahanol lefydd, ac ar wahanol achlysuron. Ac am fod yr alaw mor adnabyddus ar y geiriau gwreiddiol, mi ges i ymateb diddorol gan Wyddelod oedd mor gyfarwydd â'r dôn, ond mewn penbleth o'i chlywed ar eiriau mor ddiarth.

Cofiaf yn dda pan gafodd y Band a minnau wahoddiad i berfformio yng Ngŵyl Geltaidd Louisiana o gwmpas dechrau'r 90au. Roeddem yn perfformio hefyd yn y bar Celtaidd oedd yn eiddo i ddau frawd o Wyddelod lle bu Robin James Jones yn delynor am rai blynyddoedd. Ac yn y bar hwnnw un prynhawn, a'r Ginis yn llifo'n hyfryd, cenais y gân gydag arddeliad, a'r Gwyddelod yn dotio at glywed un o'u hoff ganeuon yn swnio'n gyfarwydd ond eto mor wahanol. Wrth gwrs, roedd esbonio tipyn ar gefndir y geiriau Cymraeg yn bownd o ddilyn.

Ond efallai mai'r achlysur sy'n sefyll allan yn fwy na'r un oedd y prynhawn y claddwyd fy mrawd Huw Ceredig yn Nhrelales. Wedi bod yn y fynwent, aeth criw ohonom i'r Clwb Bach lle treuliodd Huw amal i orig. Ac yno cafwyd un o'r prynhawniau cofiadwy hynny sy'n digwydd o bryd i'w gilydd – yr achlysur yn deimladwy, y cwmni'n ddifyr, yr atgofion yn llifo, a'r canu'n felys, gyda'r diweddar Meic Povey yn ein syfrdanu gyda'i lais cryf a'i stôr o ganeuon gwerin. Yn sydyn, ynghanol y sgwrsio Cymraeg, tarodd un o gyfeillion di-Gymraeg Huw 'The Fields of Athenry', a phawb yn ymuno yn y gytgan. Yna pennill Cymraeg gen innau, a phawb yn ymuno eto, ac felly ymlaen drwy'r gân, gyda phennill Saesneg a Chymraeg bob yn ail. Mi fyddai Huw wedi bod ar ben ei ddigon, ac Emyr Huws Jones wrth fy ymyl yn gresynu na chaem sesiynau fel hynny'n amlach, ond gan wybod yn iawn nad oes modd eu trefnu; digwydd y maen nhw.

Rwy'n taro nodyn gobeithiol ar ddiwedd y gân, bod 'Cymru'n fyw o hyd yn Esgair Llyn'. Ac i raddau helaeth iawn, ein ffermydd teulu sydd wedi cynnal bywyd a Chymreictod ein cefn gwlad. Caewyd ysgol Aberhosan ddegawdau yn ôl pan grëwyd ysgol ardal (wych iawn) yng Nglantwymyn. Ond mae bwrlwm diwylliant yr ardal wedi parhau, diolch i'r teuluoedd ifanc sy'n byw yn y ffermydd sy'n britho'r ardal.

Wrth imi sgrifennu hyn o eiriau, mae cwmwl Brexit (yn ogystal â chwmwl Cofid) uwch ein pennau, ac y mae'r bygythiad i ddyfodol ein ffermydd teulu yn un dychrynllyd o agos a real. Os collwn ein ffermydd, bydd yn ergyd drom iawn i gefn gwlad Cymru ac i'r iaith Gymraeg.

4.

Rhywbryd fel Nawr

Blino byw ar hen freuddwydion,
Colli ffydd mewn addewidion,
Cadw dim ond hen ddyledion
Dydd ar ôl dydd,
Colli blas ar hen atgofion
Colli cwmni hen gyfeillion,
Blino clywed hen sibrydion,
Dydd ar ôl dydd.
Rwy'n hiraethu am gael cwmni,
Troi fy nghefn ar ddigalonni.
Rwy'n hiraethu am gael caru
Rhywun.
Rhywun fel ti.

Blino cerdded yr hen lwybre,
Troedio strydoedd yr hen frwydre,
Dilyn hynt hen ddigwyddiade
O hyd ac o hyd.
Colli ffordd wrth fynd i unman
Yn y dorf ar ben eich hunan,
Crwydro 'mhell ac yn eich unfan
O hyd ac o hyd.
Chwilio wnaf am gwm y cymoedd,
Ceisio gwinllan y gwinllannoedd,
Chwilio'r ddaear am y nefoedd
Rhywle,
Rhywle fel hyn.

Gwadu'r gwir a chredu'r celwydd
Gwadu'r hen, addoli'r newydd,
Llunie gwag yn troi yn grefydd,
Amser yn mynd,
Credu'r rhith a gwadu'r sylwedd,
Codi cestyll ar anwiredd,
Rheiny'n chwalu yn y diwedd,
Amser yn mynd.
Trof fy wyneb i'r dyfodol
Cadw ffydd â llu'r gorffennol,
Byw i eithaf y presennol,
Rhywbryd,
Rhywbryd fel nawr.

Y noson cyn imi gyfansoddi'r gân mewn gwesty yn Aberteifi,
roeddwn ar banel 'Hawl i Holi' gydag Eluned Morgan, Dic Jones
a Huw Edwards.

Alla'i ddim cofio ymhle y cyfansoddais y rhan fwyaf o 'nghaneuon, ond y mae yna rai eithriadau. Byddaf yn sôn eto am 'Wrth Feddwl am fy Nghymru' ac 'Yma o Hyd', dwy o'r rhai y cofiaf yn union ymhle'r oeddwn i yn eu cyfansoddi. Ac y mae 'Rhywbryd fel Nawr' yn un arall.

Roeddwn yn aros mewn gwesty yn Aberteifi; peth prin iawn yn fy hanes, gan mai aros yn nhai ffrindie y byddwn i fel rheol. Ond roedd y BBC yn talu yn yr achos hwn! Roeddwn yn recordio *Hawl i Holi* ar y nos Wener, ac yn aros i lawr am gyngerdd ar y nos Sadwrn. Felly treuliais y diwrnod yn fy stafell, gyda thoriad yn unig i weld Cymru yn chware rygbi ar y teledu. Roeddwn angen o leia ddwy gân newydd i orffen albym oedd ar y gweill, felly penderfynais gyfansoddi.

Profiad rhyfedd (ac anarferol i mi) oedd eistedd i lawr i gyfansoddi cân heb unrhyw syniad yn fy mhen beth i'w ddweud. Fel arfer, byddai syniad neu ddau wedi bod yn troi yn fy meddwl ers tro, ac weithiau syniad am gytgan, neu linell allweddol falle. Byddai cyfansoddi wedyn yn fater o ddatblygu'r cnewyllyn hwnnw, penderfynu ar natur a thempo'r alaw ac ar siâp y penillion. Yn aml iawn, byddaf yn dechrau gyda'r gytgan, a gadael i'r alaw dyfu gyda'r geirie, tra'n chwarae o gwmpas efo cordiau'r gitâr. (Mae'n gallu bod yn fantais weithie nad oes ganddoch ormod o gordie i chwarae efo nhw!). Wedi bodloni mwy neu lai ar y gytgan, mae gweddill yr alaw a'r penillion yn dilyn yn weddol rwydd, er y gall hynny amrywio cryn dipyn, wrth reswm.

Wedi penderfynu ar ffurf y gân orffenedig, mae ei chanu am y tro cyntaf yn gallu bod yn brofiad cofiadwy. Mae gen i theori fach bersonol sy'n ryw fath o brawf ydi cân yn llwyddiannus neu beidio: os oes dagrau yn dod i'm llygaid wrth ei chanu am y tro cyntaf, dwi wedi llwyddo! Does dim rhaid i'r gân fod yn drist – nid dyna'r math o ddagrau ydyn nhw, ond dagrau sy'n deillio o rywle go ddwfn – yr enaid falle? Dagrau sy'n awgrymu fod yna dant wedi ei daro, a rhywbeth gwerth chweil wedi ei gyflawni. Wrth reswm pawb, dyw hyn ddim yn digwydd bob tro o bell ffordd, ond y mae'n brofiad go arbennig pan fydd yn digwydd.

Ond i fynd yn ôl at y prynhawn hwnnw yn y gwesty yn Aberteifi. Cychwyn fel y dywedais heb syniad yn fy mhen, a gadael i'r awen fy arwain i rywle! Dechrau trwy chware tipyn o gordie, a tharo ar awgrym o alaw. Ond yna canolbwyntio ar y geirie, ac o dipyn i beth daeth 'Rhywbryd fel Nawr' i fodolaeth.

Dwn i ddim oeddwn i mewn tymer braidd yn isel ai peidio, neu oedd rhywbeth wedi digwydd, neu wedi ei ddweud yn y dyddiau cyn hynny oedd wedi peri diflastod. Alla'i ddim cofio o'r pellter yma. Ond rhyw fyfyrio ar oferedd bywyd yn gyffredinol oeddwn i mae'n amlwg, a theimlo bod bywyd yn ddigyfeiriad, neu'n ddibwrpas, a gormod o awyr yn cael ei falu am bethau dibwys, heb i neb gynnig atebion go iawn. Ond fyswn i byth yn gadael cân i fynd ar nodyn mor ddigalon ac anobeithiol â hynny, felly, mae pob pennill yn dod nôl at y rŵan hyn – rhywun fel ti, rhywle fel hyn, a rhywbryd fel nawr. A rhaid imi gyfadde, o ailwrando ar y gân wrth sgrifennu hwn, dwi'n eitha hoff ohoni, ac yn credu fod yr ymbalfalu am yr awen yn y gwesty hwnnw yn Aberteifi wedi talu'r ffordd.

Dwi ddim yn gyfarwydd â holl ganeuon Bob Dylan o bell bell ffordd, ond mae'n sicr o fod yn un o gyfansoddwyr caneuon pwysicaf ein hoes ni, ac yn un sydd wedi rhychwantu pob math o feysydd a phrofiadau yn ei ganeuon. A does dim dwywaith ei fod wedi cael rhyw ddylanwad arna' i ac ar sawl canwr-gyfansoddwr arall ledled y byd. Ond yr hyn sydd o ddiddordeb arbennig i mi yw y berthynas rhwng ei ganeuon a'i fywyd. Ar y cychwyn, yr oedd yn fodlon cael ei weld fel rhan o'r mudiadau protest yn America – gorymdeithiau Martin Luther King, protestiadau yn erbyn rhyfel Fietnam ac yn erbyn Apartheid. Ond buan iawn y ciliodd o'r llwyfannau hynny.

Un o brif achosion y rhwyg rhyngddo â Joan Baez, mae'n debyg, wedi carwriaeth danbaid ac ymddangosiadau niferus yn canu gyda'i gilydd, oedd ei wrthwynebiad ffyrnig i gael ei weld fel rhyw fath o lais y genhedlaeth ifanc, ac fel proffwyd y chwyldro newydd. Doedd Joan ar y llaw arall byth yn colli cyfle i ddangos ei hochr ac i sefyll yn gyhoeddus dros heddwch a thros y tlawd, ac yn erbyn y pwerau mawr, a chredai fod gan Bob Dylan rôl debyg i'w chware.

Ond 'jobbing singer' yw disgrifiad Dylan ohono'i hun, ac ni fynnai ar unrhyw gyfri gael ei glymu wrth gwlt neu fudiad neu achos, er iddo gael cyfnodau amlwg yn ei ganeuon – dros Gristnogaeth er enghraifft. Ond symud ymlaen yw ei hanes o hyd, a chondemnio'i feirniaid am fethu deall gwir neges ei ganeuon. Ie, symud ymlaen, ond heb gyfeiriad pendant. *No Direction Home* yw teitl llyfr Robert Shelton am fywyd a gwaith Bob Dylan, sy'n ddyfyniad o un o'i ganeuon mwyaf pwerus, 'Like a Rolling Stone', cri fythol yr ifanc heb gyfeiriad i'w bywydau. Rhaid fy mod innau wedi cael twtsh o'r ansicrwydd hwnnw ar brynhawn gwlyb yn Aberteifi!

A'r ateb i mi bob amser yw cwmni fel ti, lle fel hyn, ac amser fel nawr. Fel dwedodd y bardd:

'Digymar yw fy mro drwy'r cread crwn,
Ac ni bu dwthwn fel y dwthwn hwn.'

5.

Mae Hiraeth yn fy Nghalon

Mae hiraeth yn fy nghalon am y ddoe na ddaw yn ôl,
Mae tristwch yn fy enaid am a fu,
Mae dagrau yn fy llygaid 'rôl y rhai sydd wedi mynd
A'r atgof sydd yn bwrw cysgod du.
Af i chwilio yn y mynydd, af i chwilio yn y glyn,
Af i chwilio am orffennol teg fy ngwlad,
Gwrandawaf ar yr afon, a syllaf ar y llyn,
A disgwyl, disgwyl gweled fy nhreftâd.

Mae'r awel yn y brigau yn dweud am y dyddiau blin
Pan oedd gormes y landlordiaid yn y tir,
A'r hesg yn dweud yn ddistaw am fuchedd gwerin dlawd,
Aberth bywydau byr a'r dyddiau hir.
Ond dywed nant y mynydd am lawenydd ac am hwyl,
Am falchder a gorfoledd dan yr iau,
A dywed llif yr afon am fethiant gormes Sais
I dorri calon ddewr y bur hoff bau.

Mae hiraeth yn fy nghalon am y ddoe na ddaw yn ôl,
Mae tristwch yn fy enaid am a fu,
Mae dagrau yn fy llygaid 'rôl y rhai sydd wedi mynd
A'r atgof sydd yn bwrw cysgod du.
Af i chwilio yn y mynydd, af i chwilio yn y glyn
Af i chwilio am orffennol teg fy ngwlad,
Gwrandawaf ar yr afon, a syllaf ar y llyn,
A gwelaf, gwelaf yno fy nhreftâd.

Hon oedd hoff gân fy nhad, meddai wrthyf unwaith.
Roedd gweld teulu'r Cilie yn chwalu a gwasgaru yn destun hiraeth
parhaus iddo.

Busnes diddorol ar y naw yw'r busnes hiraeth yma! A byddai'n llwm iawn ar gyfansoddwyr caneuon Cymraeg hebddo. Mae'n perthyn i'r teulu bach pwysig yna o eiriau nad oes modd eu cyfieithu, ac sy'n greiddiol i'r traddodiad a'r diwylliant Cymraeg: eisteddfod, y gynghanedd, cerdd dant a hiraeth! Trïwch chi egluro beth yn union yw'r rhain i rywun o wlad a diwylliant estron – rhywun o Loegr er enghraifft – ac mi gewch chi weld be dwi'n feddwl.

Mi ges i wers mewn canu gwerin unwaith gan y diweddar Dora Herbert Jones, a'r wers honno yn troi o gwmpas y gair 'hiraeth'. Roedd Dora yn un o'r arloeswyr dygn hynny aeth ati yn nechrau'r 20fed ganrif i gasglu'n caneuon traddodiadol cyn iddyn nhw ddiflannu o'r tir. Ac i'r criw bychan ymroddedig hwnnw y mae'r diolch ein bod ni heddiw yn dal i ganu llawer iawn o'r caneuon hyn. Wrth fynd o gwmpas yn darlithio ym mlynyddoedd ei henoed, y gân y byddai Dora bob amser yn ei chanu oedd yr hen benillion telyn hyfryd hynny ar thema hiraeth:

'Dwedwch, fawrion o wybodaeth,
O ba beth y gwnaethpwyd hiraeth?'

Roedd Dora yn westai ar raglen yr oeddwn yn ei chyflwyno ar y teledu unwaith, a minnau'n ddigon hy i fentro canu'r penillion hyn. Cyn inni gychwyn ar yr ymarfer yn y stiwdio, anogodd Dora fi i ganu'r gân iddi hi. A dyma finnau'n gwneud, gan deimlo braidd fel hogyn bach ar brawf. Wedi imi ganu dwy linell, stopiodd Dora fi a gofyn:

'Ydech chi'n sylweddoli be dech chi newydd ddweud? Dech chi'n gofyn i'r doethion beth yn union yw hiraeth.'

Ac felly ymlaen drwy'r penillion i gyd, Dora'n rhoi stop ar y canu bob hyn a hyn i ofyn os oeddwn i'n ystyried, yn deall ac yn meddwl yr hyn yr oeddwn yn ddweud wrth ganu'r geirie. Anghofiaf fi byth 'mo'r profiad hwnnw. Ac fel y dwedais, dyna'r unig wers a ges i erioed mewn canu gwerin. A dyna'r unig wers sydd ei hangen ar unrhyw un sydd am wneud cyfiawnder â'r hen ganeuon cyfoethog hyn. Canu'r geirie fel 'tae nhw'n rhan o'ch profiad chi, i argyhoeddi'r gwrandäwr eich bod chi'n meddwl yr hyn yr ydych yn ei ddweud. Y geirie sy'n cyfri mewn canu gwerin; cerbyd yw'r alaw, a'ch offeryn yw'r llais. Ond y geirie sy'n bwysig.

Mi ddwedodd Dora rywbeth arall y diwrnod hwnnw sydd wedi aros gyda mi fyth ers hynny. Wrth drafod y syniad o hiraeth, meddai:

'Does dim raid ichi fod â wyneb hir fel ffidil wrth ganu am hiraeth. Er mai trist yw neges y geirie arbennig yma, mae posib hiraethu am bethe gwell i ddod, fel Pantycelyn yn ei emyn yn dweud, "Mae hiraeth arnaf am y wlad lle mae torfeydd di'ri / yn canu'r anthem ddyddiau'u hoes...".'

A dyna agor ystyr newydd, a gwedd newydd, ar y syniad o

hiraeth. Ac wedi meddwl, onid am y da a'r dymunol y byddwn yn hiraethu? Dyw hi ddim yn bosib hiraethu am y drwg. Ac mae pethau da yn gallu bod yn y dyfodol yn ogystal â'r gorffennol. Ac yna mae Williams Parry wedyn yn rhoi gwedd arall eto ar hiraeth yn ei soned hyfryd, soned a osodwyd i gerddoriaeth mor llwyddiannus gan Dilys Elwyn Edwards. I'r bardd, nid hiraeth am ddoe a ddiflannodd nac am yfory sydd i ddod sydd yma, ond hiraeth y pellteroedd, hiraeth 'y môr a'r mynydd maith'. Ac mi rydw inne wedi teimlo'r hiraeth hwnnw wrth grwydro'r mynyddoedd, neu wrth syllu ar lyn a môr. Rhyw deimlo cysylltiad â hanes yr hen genedl yma, a'r peth hwnnw y gallem ei alw'n enaid Cymru. Rhyw ffansi falle, ond dyna sydd yn y gân 'Mae hiraeth yn fy nghalon'. Ac er ei bod yn agor trwy sôn am y 'ddoe na ddaw yn ôl' a'r pethau a'r bobol sydd wedi'n gadael ac wedi darfod, rwy'n gorffen y gân ar nodyn cadarnhaol gan awgrymu ei bod hi'n bosib cysylltu â'r pethau hynny trwy dirwedd Cymru, a hynny'n rhoi ysbrydoliaeth inni gario ymlaen yn ein brwydr barhaus i sicrhau dyfodol y genedl.

Mae'n debyg mai rhamantydd ydw i yn y bôn, a byddai rhai yn dweud eto fod fy nghaneuon yn disgyn yn rhy rwydd i sentimentaliaeth. Ond un peth dwi'n teimlo'n gryf amdano yw mor bwysig yw byd natur ac amgylchedd ein tirlun wrth synio am ein cenedl. Mae'r thema hon yn rhedeg drwy nifer fawr o 'nghaneuon, o 'Mae'n Wlad i Mi' yn y 60au i 'Heddiw yw'n Dyfodol' hanner canrif yn ddiweddarach. Ac efallai mai'r gân sy'n cyfleu hyn orau yw un o'r rhai cynnar sydd ddim yn cael ei chlywed mor aml y dyddiau hyn, sef 'Mae'r Darnau yn Disgyn i'w Lle'. Yn y gân honno, wedi mynegi tipyn o angst ieuengoed, dwi'n sôn am fy awydd i ddianc i'r mynydd:

'A dianc wnaf eto trwy gaeau y crawcwellt a'r ysgall
At heddwch y mynydd i wrando doethineb yr hesg:
Ac yno caf sicrwydd yr oesau
Mae'r darnau yn disgyn i'w lle
Mae doe ac yfory i minnau,

Does dim angen gofyn
Does dim angen gofyn paham neu i be.'

Mae gennym wlad ryfeddol o gyfoethog o ran ei thirlun. Yn wir go brin y gall unrhyw wlad o faint tebyg gynnig y fath amrywiaeth, o'r mynyddoedd i'r môr, yn llynnoedd ac afonydd mawr a bach, yn gymoedd a dyffrynnoedd, yn rostiroedd meithion ac yn dreflannau prydferth. A gwae ni os gwelwn y rhain yn unig fel atyniad i dwristiaid neu luniau ar gardiau post. Fedrwn ni ddim osgoi twristiaeth, ond ddylen ni byth adael i dwristiaeth ein diffinio fel cenedl. Rhaid troi dŵr y diwydiant ymwelwyr i'n melin ein hunain; gwneud yn siŵr gymaint â phosib mai pobol Cymru sy'n elwa, a bod gan ein pobol ifanc y sgiliau i fanteisio'n llawn ar y cyfleon heb werthu ein henaid fel cenedl. Mae angen rheoli twristiaeth. Ond rhaid osgoi gwneud gelyn ohono, ac yn sicr ddigon osgoi gadael i dwristiaeth ein rheoli ni.

Ond dyna ddigon o bregethu!

6.

Yma o Hyd

Dwyt ti'm yn cofio Macsen,
Does neb yn ei nabod o,
Mae mil a chwe chant o flynyddoedd
Yn amser rhy hir i'r co';
Ond aeth Magnus Maximus o Gymru
Yn y flwyddyn tri chant wyth tri
A'n gadael yn genedl gyfan,
A heddiw – wele ni!

Cytgan:

Ryn ni yma o hyd! Ryn ni yma o hyd!
Er gwaetha pawb a phopeth
Er gwaetha pawb a phopeth
Er gwaetha pawb a phopeth
Ryn ni yma o hyd!

Chwythed y gwynt o'r Dwyrain,
Rhued y storm o'r môr,
Hollted y mellt yr wybren
A gwaedded y daran encôr;
Llifed dagrau'r gwangalon
A llyfed y taeog y llawr,
Er dued y fagddu o'n cwmpas
Ry'n ni'n barod am doriad y wawr!

(Cytgan)

Cofiwn i Facsen Wledig
Adael ein gwlad yn un darn,
A bloeddiwn gerbron y gwledydd:

'Mi fyddwn yma tan Ddydd y Farn!'
Er gwaetha pob Dic Siôn Dafydd,
Er gwaethaf y gelyn a'i griw,
Byddwn yma hyd ddiwedd amser
A bydd yr iaith Gymraeg yn fyw!

(Cytgan)

*Roedd ralïau annibyniaeth 2018 a 2019 yn arddangosiad gwych
o'r ysbryd newydd sy'n sgubo'r wlad; ein gobaith yn awr yw
ailgydio yn yr ysbryd hwnnw eleni, ac i'r dyfodol.*

Mae'n siŵr mai hon yw'r gân sy'n dod i feddwl y rhan fwyaf o
bobol pan glywan nhw fy enw erbyn hyn. A phwy ydw i i
anghytuno efo nhw? Beth bynnag ydi'r rhesymau am ei
phoblogrwydd, a gallwn ddod at hynny yn y man, mae'r
rhesymau dros ei bodolaeth yn fwy diddorol i mi, gan eu bod
yn niferus ac amrywiol iawn.

Ganwyd y gân yng nghyfnod Magi Thatcher, ac y mae'n bwysig cofio hynny. Mewn ffordd o siarad, un o blant siawns Magi Thatcher yw 'Yma o Hyd'! Roedd Cymru wedi pleidleisio'n drwm yn erbyn datganoli yn refferendwm 1979, a hynny ar Ddydd Gŵyl Ddewi. Er mai Cynulliad llipa ar y naw oedd ar gynnig gan y Blaid Lafur, roedd yn rhyw fath o ddechrau ar y broses o ryddhau Cymru o hualau Llundain. Ond trodd y mwyafrif llethol o bobol Cymru yn ei erbyn – a hynny am bob math o resymau. Mae'n anodd cyfleu heddiw gymaint o siom oedd y canlyniad hwnnw, nid yn gymaint o wrthod Cynulliad gwantan, ond y syniad bod pobol Cymru yn erbyn unrhyw fath o hawliau i'w cenedl. Teimlodd fy nghenhedlaeth i i'r byw, a disgynnodd cwmwl tywyll iawn dros ein gwlad.

Mae llawer o'r caneuon a gyfansoddwyd yn y cyfnod hwnnw yn mynegi'r anobaith a deimlem. Nid yn unig oherwydd colli'r refferendwm mor drwm, ond o weld llywodraeth Dorïaidd Magi Thatcher yn dod i rym, a'r rhagolygon i Gymru mor eithafol o dywyll. Daeth y diwydiant glo a dur dan fygythiad. Roedd amaeth mewn twll. Aeth ffatrïoedd llewyrchus ar drugaredd yr 'asset strippers' (caewyd ffatri lwyddiannus Peblig ger Caernarfon dros nos bron). A chafwyd bygythiad mawr i ddyfodol yr Undebau Llafur.

Cyhoeddais yr albym *Bod yn Rhydd* yn 1979 gyda mwyafrif y caneuon yn adlewyrchu siom y cyfnod: 'Baled y Welsh Not', Penillion i Gilmeri, 'Weithiau bydd y fflam yn llosgi'n isel', a 'Hwyr Brynhawn'. Ond cafwyd rhai yn fwy heriol fel 'Bod yn Rhydd' ei hun, a sbardunwyd gan sylw Dr. Phil Williams, 'Os ydym o ddifri am weld Cymru Rydd, rhaid byw fel Cymry rhydd yn awr'.

O'r holl ganeuon ar yr albym hon, sy'n dipyn o ffefryn gen i er gwaetha'r cyd-destun trist, efallai mai 'Mae'n Disgwyl' sy'n adlewyrchu teimladau'r cyfnod orau. Cymerais fel patrwm y traddodiad mewn caneuon Gwyddelig o bortreadu Iwerddon fel gwraig (ifanc neu hen, yn ôl gofynion y gân). Efallai mai'r gân fwya adnabyddus yn y traddodiad hwn yw 'Four Green

Fields' gan Tommy Makem, ac mae'n siŵr mai honno oedd yn fy meddwl pan gyfansoddais 'Mae'n Disgwyl'. Cymru yw'r hen wraig yn y gân, sy'n drist o weld ei breuddwydion a'i gobeithion yn chwalu. Ond daw gweddnewidiad drosti, a'i gobaith yn ail-danio:

> 'Mae'n disgwyl i'w meibion a'i merched
> I godi eu pennau yn uchel 'mysg gwledydd y byd,
> Mae'n disgwyl i'w meibion a'i merched ar ryddid
> > i roddi eu bryd,
> Mae'n disgwyl gweld dymchwel holl gaerau a thyrau
> A thraha'r gormeswyr talog i'r llawr,
> Mae'n disgwyl gweld cenedl newydd
> Yn cerdded yng ngolau y wawr.
> Mae'n disgwyl, mae'n disgwyl o hyd.'

Gyda llaw, does dim gwir yn yr awgrym fod y bedwaredd linell yn rhagweld dymchwel tyrau'r Trade Center yn Efrog Newydd!

Trefnais gyfres o gyngherddau theatr gan fy mod yn benderfynol o beidio gadael i siomedigaethau 1979 ein llethu, a chyhoeddwyd pigion o'r daith honno ar yr albym *Dafydd Iwan ar Dân* yn 1981. I gyfeiliant Hefin Elis a Tudur Huws Jones, roedd nifer o ganeuon dychan ar yr albym: 'Magi Thatcher' wrth gwrs (fersiwn ychydig yn llai urddasol na'r un a gyhoeddwyd fel sengl), 'Am na ches i Wâdd i'r Briodas', a 'Cân Serch i Awyren Ryfel', ac addasiadau o ganeuon o wledydd eraill: 'A Gwn fod Popeth yn Iawn' (peidiwch yngan gair wrth Bob Dylan!), 'Y Dref a Gerais i Cyd' a'r 'Pedwar Cae' o Iwerddon, ac addasiad o un o ganeuon heddwch Victor Jara 'Yr Hawl i Fyw Mewn Hedd'. Roedd gweddill y caneuon gwreiddiol yn dal i adlewyrchu tymer gwlad oedd wedi ei sigo braidd: 'Ac fe ganon ni', 'Mae Rhywun yn y Carchar' a 'Pam fod Eira yn Wyn'.

Roedd y grŵp gwerin Ar Log a minnau wedi bod yn trafod ers tro y posibilrwydd o drefnu taith ar y cyd. Ac yn 1982, daeth yr union sbardun oedd ei angen arnom i weithredu'r bwriad.

Union saith can mlynedd ers llofruddio Llywelyn! Dyna sut y ganwyd 'Taith 700', a bu trefnu brwd ar y cyngherddau ledled Cymru, gyda'r rhaglen yn gymysgedd o setiau Ar Log a'm caneuon inne, i gyfeiliant Ar Log.

Roedd hwn yn brofiad newydd i mi, ond cefais fwynhad mawr yn trefnu'r caneuon gyda'r bois, a rhai o'r hen ffefrynnau yn cael eu hail-eni i gyd-fynd gyda natur y cyfeiliant. Uchafbwynt pob noson oedd cân newydd o'r enw 'Cerddwn Ymlaen', oedd yn cyfeirio at y saith canrif ers marw Llywelyn – saith canrif o ormes – a'r gytgan yn cyhoeddi'n heriol nad oedd Cymru'n bwriadu rhoi'r gore iddi. Rhaid oedd cerdded ymlaen! Roedd y gân yn ffitio i'r dim, ac yn taro'r nodyn herfeiddiol oedd ei angen wedi trychineb y refferendwm a goruchafiaeth Magi.

Nid gormodiaith yw dweud fod pob noson ar y daith gofiadwy honno yn gorffen gyda'r dorf yn gwirioni'n lân, ac yn canu ar dop eu lleisie. Ac roedd cael cwmni a chyfeiliant afieithus Ar Log yn gefn imi yn gwneud y gwaith yn llawer ysgafnach na chynnal cyngerdd ar fy mhen fy hun, ac yn dipyn mwy o hwyl.

Wedi llwyddiant y daith gyntaf honno, roedd rhaid trefnu un arall, ac yr oedd y lleoliadau i gyd yn crefu i'n cael yn ôl. Felly, gan fod y daith gyntaf yn nodi achlysur mor bwysig yn hanes Cymru, oedd yna fachyn tebyg y gallem ei ddefnyddio ar gyfer y daith newydd yn 1983? Roeddwn inne'n awyddus i gyfansoddi cân newydd arall i ddilyn 'Cerddwn Ymlaen'. Ac wrth inni ymbalfalu am syniadau, cofiais imi glywed Gwynfor Evans yn dweud unwaith pan ofynnwyd iddo pryd roedd Cymru wedi cychwyn ar ei thaith i ryddid ei fod o'n synio mai'r flwyddyn y gadawodd y Rhufeiniaid oedd hynny. A'r flwyddyn honno oedd 383 – union 1600 o flynyddoedd yn ôl! Nid yn unig yr oedd gennym enw ar gyfer y daith, ond yr oedd gen i sylfaen gwych i'r gân newydd: 'Taith Macsen' ac 'Yma o Hyd'.

Ond un peth yw cael syniad ar gyfer cân; peth arall yn hollol yw ei chyfansoddi. Ac o'r holl ganeuon a gyfansoddais, hon yw'r gân y cofiaf amgylchiadau ei chreu gliriaf. Roedd ein priodas yn mynd trwy gyfnod anodd ar y pryd, ac fel y gŵyr pawb sydd wedi bod drwy'r uffern a elwir yn ysgariad, y cyfnod gwaethaf mae'n siŵr yw'r un lle mae'r berthynas drosodd ond lle mae pawb yn dal i fyw dan yr un to.

Yr ateb yn fy achos i oedd treulio'r rhan fwyaf o'r amser mewn stafell yn yr atig yn ein cartref yn Waunfawr, a chyfansoddais nifer o ganeuon yno. Ond gydag 'Yma o Hyd' dwi'n cofio'n union lle'r oeddwn yn eistedd, a dwi'n cofio geiriau'r gytgan yn dod imi. Ac oedd, roedd gen i deimlad mod i wedi taro ar rywbeth go fawr.

Nid y fi oedd y cyntaf i ddweud ein bod 'yma o hyd'. Ond wedi cychwyn gyda Macsen Wledig mil a chwe chant o flynyddoedd yn ôl, a meddwl am bopeth oedd wedi digwydd inni fel cenedl ers hynny, roedd datgan ein bod yma 'er gwaetha pawb a phopeth' yn taro adre. Datganiad syml fel yna fel arfer sydd fwya effeithiol mewn cân. Ond rhaid bod sylfaen digon cadarn i'r datganiad, a chredaf fod hynny'n wir yn yr achos hwn. Tyfodd yr alaw gyda'r geirie, wedi sefydlu alaw'r gytgan. Ac y mae gweddill y penillion yn datblygu'r syniad o oroesi yn erbyn y ffactore, gan gynnwys ein gwendidau ni ein hunain (dyna lle mae'r hen Dic Siôn Dafydd yn dod yn handi, diolch i'r arwr Jac Glan-y-gors). A rhaid oedd rhoi swadan i Magi wrth basio.

Credai rhai mai camgymeriad oedd enwi Magi mewn cân fel hon am ei bod yn ei dyddio'n ormodol. Bellach rwy'n cytuno, a byddaf yn rhoi 'er gwaethaf y gelyn a'i griw' yn lle'r llinell wreiddiol sy'n cyfeirio at yr hen Fagi a'i chriw; wedi'r cyfan doedd Magi ddim yn mynd i bara am byth. Ond mae'r gelyn gyda ni o hyd.

Cofiaf gwrdd ag Ar Log yn Stiwdio Sain i ymarfer ar gyfer y daith, ac i gyflwyno'r gân newydd i'r hogia. Cafodd dderbyniad da, ond o fewn dim, yr oedd tempo'r alaw wedi arafu i'w gwneud yn fwy anthemig. Ac yna dechreuwyd ar y gwaith o drefnu'r cyfeiliant a harmoni'r lleisie ar y gytgan. Erbyn diwedd y dydd, roedden i gyd yn eitha cyffrous am bosibiliadau'r greadigaeth newydd, ac aethom ati i'w recordio, gyda gweddill rhaglen cyngherddau'r daith, ar gyfer yr albym *Yma o Hyd*, fel dilyniant i *Rhwng Hwyl a Thaith* a gafodd y fath groeso yn 1982. Roedd 'Taith Macsen' yn cychwyn ar Chwefror 11eg yn Theatr Felinfach – lleoliad y gwyddai Ar Log a minnau o brofiad a fyddai'n sicr o fod â chynulleidfa frwd a chynnes yn ein disgwyl. Ac felly y bu, fel yn wir ym Mlaendyffryn y noson ganlynol. Roedd ein rhaglen yn cynnwys nifer o ganeuon traddodiadol a newydd wedi eu cyflwyno yn arddull fywiog Ar Log. Ond yr oeddem yn gofalu hefyd fod yna ganeuon newydd ac amserol, gyda gogwydd gwleidyddol pendant. Yn ystod y daith gyntaf yn 1982, cawsom rodd annisgwyl gan MI5 (neu pwy bynnag!) pan ddaliwyd rhywun yn gosod offer clustfeinio mewn ciosg cyhoeddus yn Nhalysarn, yn Nyffryn Nantlle. Cyfansoddais gân i ddathlu'r digwyddiad, ac mi gafodd honno fedydd tân yng Nghefn Coch ar Chwefror 20fed, 1982. O'r noson honno ymlaen, roedd 'Ciosg Talysarn' yn un o uchafbwyntiau'r nosweithiau, a bûm yn meddwl droeon y dyliwn anfon gair o ddiolch i rywun yn rhywle i gydnabod y fath rodd o gân. Ond methiant fu pob ymdrech i gael cyfeiriad y sawl oedd yn gyfrifol!

Yn 1983, fodd bynnag, er bod yr ymgyrch losgi yn dal yn ei hanterth, chawson ni ddim lwc gyda digwyddiad tebyg. Ond cadwyd y nodyn cyfoes dychanol gyda chaneuon fel 'Ffidil yn y To' a 'Cân i Wiliam' (er dydi hwnnw, na'i dad ran hynny, byth wedi diolch imi chwaith). Dwy gân arall a ail-grewyd gennym ar gyfer y daith, ac a ddaeth yn ffefrynnau ym mhob cyngerdd Ar Log a D.I. ers hynny, oedd 'Y Wên na Phyla Amser' a 'Cân y Medd', ond does dim dwywaith mai 'Yma o Hyd' oedd yr uchafbwynt i gloi pob noson, ac uchafbwynt pob noson ers hynny a dweud y gwir.

A beth sy'n gyfrifol am apêl y gân? Mae'n gyfuniad o nifer o elfennau dwi'n meddwl. Ond anthem dorfol yw hi yn y bôn, a does fawr ddim yn well na bod mewn torf o gyffelyb fryd sy'n datgan 'gwnewch eich gwaetha, wnewch chi ddim ein curo ni!' – boed y 'ni' yn dîm rygbi neu bêl-droed, yn griw o ffrindie, neu'n genedl. Y llwyth yn erbyn y byd mawr!

Ond y cyd-destun Cymreig a Chymraeg cenedlaethol sy'n rhoi i'r gân ei gwir rym. Efallai ein bod ni fel Cymry yn rhy barod i rygnu ar yr hen dant o fod wedi cael cam, yn enwedig gan y Saeson. Ond diawch, mae'n dda cael sefyll ar ein traed a datgan ein bod yma o hyd, ac yma i aros. Ac os yw'r datgan hynny ar alaw sy'n cydio, gorau oll. Y cyfan a wn i yw ei bod yn gweithio fel cân, ac am hynny byddaf fythol ddiolchgar. A'r rhyfeddod mwya efallai yw fel y mae wedi croesi ffiniau ieithyddol a rhyngwladol. Ac mi wn am fersiynau ohoni sydd wedi eu canu – a'u recordio mewn ambell i achos – yn Llydaweg, yn Saesneg, yn Norwyeg ac yn Ffrangeg.

Mae'n help mawr bod clwb fel y Scarlets wedi mabwysiadu'r gân fel ail anthem, ac yn ei chwarae pan fyddan nhw'n trosi cais ar Barc y Scarlets. (Dwi'n poeni braidd wrth sgwennu hyn am eu bod yn mynd trwy gyfnod gwan a ddim yn sgorio digon o geisiau!) Ac wrth gwrs mae'n hwb mawr i'w chlywed hi ar y maes cenedlaethol cyn y gemau rhyngwladol (er mai chwithig braidd yw ei chlywed rhwng 'Calon Lân' a 'Delilah' druan). Ond y peth rhyfedda yw nad oes bron ddiwrnod yn mynd heibio heb i rywun yngan y geiriau 'yma o hyd' wrtha i, mewn pob math o amgylchiadau. Rhywun yn fy mhasio ar y stryd. Neu rywun yn diolch ar ddiwedd oedfa neu gyngerdd. Neu rywun yn fy nghyflwyno mewn cyfarfod ffurfiol. Does dim pall ar y peth.

Ac y mae un achlysur yn sefyll allan yn fwy na'r lleill. Roeddwn yn yr ardd ar ddiwrnod poeth o haf pan glywais sgrech teiars a chlec ar ben y lôn. Rhedais i weld beth oedd wedi digwydd, a gweld car ar ben y clawdd a phump o hogia ifanc yn crafangu eu ffordd allan ohono. Wrth lwc, doedd neb wedi brifo'n ofnadwy. Ond daeth un tuag ataf yn eitha sigledig ar ei draed, a gwaed yn llifo o'i dalcen.

'Ti'n iawn?' meddwn i.

Edrychodd arna'i braidd yn hurt am funud i gael ei wynt ato, ac yna dwedodd gyda chysgod o wên:

'Wel, dwi yma o hyd!'

Dyna mae'n siŵr gen i yw'r diffiniad o iaith fyw.

7.

Wrth Feddwl am fy Nghymru

Rwy'n cofio Llywelyn, byddinoedd Glyndŵr
Yn ymladd dros ryddid ein gwlad,
Ond caethion y'm eto dan bawen y Sais,
Mor daeog, mor llwm ein hystâd.

Cytgan:

Wrth feddwl am fy Nghymru, daw gwayw i 'nghalon i,
Doedd y werin ddim digon o ddynion, bois, i fynnu ei
rhyddid hi.

Wrth edrych o'th gwmpas fe weli
Fod yr heniaith yn cilio o'r tir,
Ni chlywir yr un acen, ni chlywir yr un gair
O iaith ein cyndadau cyn hir.

(Cytgan)

Mae argae ar draws Cwm Tryweryn
Yn gofgolofn i'n llyfrdra ni,
Nac anghofiwn ddewrder yr ychydig prin
Aeth i garchar y Sais drosom ni.

(Cytgan)

Disgynnodd yr iau ar ein gwarrau,
Ni allwn ni ddianc rhag hon,
Mae arial y Celt yn byrlymu'n ein gwaed
A fflam Glyndŵr dan ein bron.

(Cytgan)

Fel un oedd yn mynd i'r ysgol yn y Bala, ac yn gweld y paratoi llechwraidd ar gyfer y boddi, mae Tryweryn wedi bod yn ddylanwad mawr ar fy ffordd o feddwl, ac o ganu, ar hyd fy mywyd.

Roedd cael canu bob nos Fercher ar *Y Dydd* ar TWW yn gyfle da iawn imi sefydlu fy hun fel canwr. Nid bod hynny yn uchel iawn yn fy meddwl ar y pryd, gan mai straffaglio i gael cân newydd bob wythnos oedd yn mynd â fy mryd. Ac weithiau, byddai'r ymdrech bron yn drech na mi. Ac ar adegau fel hynny, rhaid fyddai bodloni ar gân draddodiadol, neu addasiad o gân wedi ei benthyg.

Yn amlach na pheidio, gosod geiriau newydd ar alaw o America fyddwn i ar y cychwyn, a fy mhrif ffynhonnell oedd *The Burl Ives Song Book*. Llyfr clawr meddal oedd hwn yn cynnwys cannoedd o ganeuon syml gyda chordiau gitâr symlach fyth! Bu'r llyfr hwnnw, ac ambell un arall megis *Folk is Fun* yn gaffaeliad mawr imi drwy'r cyfnod prysur ond difyr hwnnw, ac y mae nifer o'r caneuon a grëwyd ar gyfer *Y Dydd* yn dal i fod ar fy rhaglen ganu hyd heddiw.

Doeddwn i ddim yn cyfansoddi'r alaw yn ystod y gyfres gyntaf, dim ond rhoi geiriau Cymraeg ar alawon parod. Mae rhai hyd heddiw yn synnu clywed mai alawon Americanaidd (ond cofier bod nifer o'r rheini wedi dod o wledydd Celtaidd ac Ewropeaidd yn wreiddiol) sydd i 'Mae'n Wlad i Mi' (This Land is your Land), 'Ji Geffyl Bach' (Froggy Went a'Courtin'), 'Meddwl Amdanat Ti' (Shucking of the Corn), 'Clyw fy Nghri' (Tramp, Tramp, Tramp the Boys are Marching), 'Creadur Bach o Grwydryn' (The Happy Wayfarer), a sawl un arall.

Roedd dysgu'r geirie mewn pryd yn ormod o dasg o bryd i'w gilydd – cofier mai teledu byw oedd *Y Dydd*, a doedd dim cyfle i ail-recordio na dim byd felly. Ac ar yr adegau hynny, doedd dim amdani ond sgwennu'r geirie ar gerdyn ('idiot boards' oedd yr enw angharedig ar y cardiau hyn), a chael un o weithwyr y stiwdio i'w dal i fyny wrth ochr y camera. Cofiaf yn dda chwysu fwy nag unwaith wrth orffen cyfansoddi'r geirie pan oedd y rhaglen eisoes ar yr awyr, a rhuthro wedyn i'w sgwennu ar y cerdyn.

Un tro, roeddwn newydd orffen sgwennu'r geirie ar y cardiau, ac am ryw reswm doedd neb ar gael i'w dal i fyny. Cofiais yn sydyn bod criw Miri Mawr newydd orffen darlledu yn y stiwdio drws nesa, a rhuthrais i chwilio am un ohonyn nhw i fy helpu o dwll. Dyma weld John Ogwen, ac yntau, chwarae teg iddo, yn cytuno'n syth. Roedd pedwar cerdyn os cofiaf yn iawn, ac aeth popeth yn iawn efo'r tri cynta. Ond pan gododd John y pedwerydd, roedd y cerdyn â'i ben i lawr! Llwyddais i faglu fy ffordd drwy'r llinellau cynta, ond doedd dim amdani wedyn ond chydig o 'ffa-la-la' i lenwi'r gweddill. Sôn am chwysfa! Ond roedd John Ogwen yn ei weld yn ddigri iawn – a ches i rioed gyfle i wybod yn iawn oedd y digwyddiad yn ddamwain ai peidio. Gan mai ffafr ydoedd, doedd gen i ddim llawer o le i gwyno mae'n debyg. A beth bynnag, chlywes i neb yn cwyno o blith y gwylwyr. Felly mae'n rhaid bod y 'ffa-la-las' wedi cymryd eu lle yn eitha da.

Rhaid fy mod i, a chynhyrchwyr y rhaglen, yn teimlo fod cael cân newydd bob wythnos yn ormod o dreth ar fyfyriwr bach tlawd, felly gofynnwyd i gantorion eraill, fel Tony ac Aloma, gyfrannu am gyfnod. Ond ymhen sbel, clywodd Owen Roberts y cynhyrchydd am gân newydd yr oeddwn wedi ei chyfansoddi, a honno wedi cael tipyn o ymateb mewn noson ryng-golegol yn Abertawe. Y gân honno – a chofier bod hyn yn fuan wedi boddi Cwm Tryweryn – oedd 'Wrth Feddwl am fy Nghymru', a gofynnodd Owen imi ddod i'r swyddfa i'w chanu er mwyn iddo'i chlywed. Cofiaf yn dda eistedd ar gongl y ddesg yn swyddfa'r *Dydd* yn canu'r gân newydd. A dweud y gwir roeddwn yn gwir gredu ei bod yn rhy wleidyddol i raglen gylchgrawn newyddion, a doeddwn i ddim yn disgwyl ymateb rhy gadarnhaol. Ond fel arall fuodd hi, ac ymateb Owen ar unwaith oedd,

'Da iawn, fedri di ddod i mewn nos Fercher?'

Go brin y byddai neb yn cael canu'r fath gân ar raglen newyddion heddiw, a does dim yn profi'r fath newid a ddigwyddodd yng Nghymru ers hynny yn fwy clir. Doedd Gwynfor ddim wedi ennill Caerfyrddin. A doedd Plaid Cymru ddim yn cael ei gweld fel bygythiad go iawn i'r drefn. A doedd Cymdeithas yr Iaith chwaith ddim wedi magu digon o gyhyrau i darfu'n ormodol ar y dyfroedd gwleidyddol. Roedd ymgyrch yr arwyddion a'r Arwisgo, heb sôn am Y Sianel, eto i ddod; ac felly pwt o fyfyriwr delfrydgar yn canu am ei freuddwydion a'i ddyheadau annhebygol oeddwn i. Y feri peth ar gyfer rhaglen gylchgrawn, newyddion neu beidio. Ond bydd gen i ddyled a diolch i'r diweddar Owen Roberts am byth. (Roedd y diweddar Arglwydd Wyn Roberts yn un o benaethiaid TWW ar y pryd, a chlywais yn rhywle ei fod wedi hawlio'r clod, neu'r bai, am fy 'narganfod', ond doedd ein llwybrau ddim yn croesi, ac felly dwn i ddim am hynny.)

A dyna gychwyn yr ail gyfres o ganeuon nos Fercher ar Y *Dydd*, cyfres a barodd am fisoedd lawer ac a'm gorfododd i greu swmp o ganeuon sydd wedi bod yn sylfaen i fy nghyngherddau a'm recordiau fyth ers hynny. Ac wrth gwrs, drwy fod yn ymddangos mor rheolaidd ar raglen oedd yn eitha poblogaidd ledled y Gymru Gymraeg, aeth fy enw ar led, ac adeiladwyd dilyniant sylweddol a olygodd fy mod wedi gallu parhau i deithio o un pen i Gymru i'r llall yn canu a phregethu am hanner can mlynedd a mwy.

Ond yn ôl at y gân. Cofiaf yn dda – ac y mae hon yn un arall o'r enghreifftiau prin hynny o ganeuon dwi'n cofio amgylchiadau ei chyfansoddi yn berffaith glir – eistedd ym mharlwr y llety yn y Tyllgoed, Caerdydd i gyfansoddi fy alaw gynta.

Roeddwn yn aros ar y pryd yng nghartre Mr a Mrs D.J. Davies. Roedd o yn enedigol o Gaio, Sir Gaerfyrddin ac yn ben-basgedwr crefftus iawn yn Sain Ffagan, a hithau o ardal Trefeglwys ger Llanidloes os cofiaf yn iawn. Ond wedi penderfynu fod yr amser wedi dod imi gyfansoddi alaw a geiriau, a thudalen lân o'm blaen, dechreuodd yr amheuon grynhoi. Oedd gen i rywbeth i'w ddweud? Oedd yna rywbeth yn berwi tu mewn imi yr oeddwn am ei fynegi i'r byd? Fedrwn i gyfansoddi alaw yn ogystal â geirie? Cofiaf i rywbeth tebyg i banic gydio ynof, ond yna daeth yr ateb fel taranfollt – onid oedd y testun yn barod ar fy nghyfer? Onid oeddwn yn treulio nosweithiau bwygilydd mewn tafarndai yn dadlau hyd at daro am Gymru a'r iaith, am Dryweryn a hunanlywodraeth, am y Blaid a Chymdeithas yr Iaith? Wrth gwrs! Roedd y gân bron a chyfansoddi ei hun.

A dyna fu. Ceisiais egluro mewn pedwar pennill pam yr oeddwn yn genedlaetholwr, a beth oedd yn fy ngyrru fel Cymro. Dechrau gyda Llywelyn a Glyndŵr, yna tynged yr iaith, yna boddi Tryweryn, a chloi gyda her mai ni sydd i benderfynu dyfodol ein cenedl. Ond roedd rhaid cael cytgan fyddai'n gafael, a honno achosodd y boen fwya. Wedi rhoi cynnig ar sawl llinell, daeth 'Wrth feddwl am fy Nghymru' i'r adwy, ac o'r eiliad honno ymlaen, roedd y darnau yn disgyn i'w lle, a'r alaw yn adleisio'r 'gwayw' a deimlwn wrth ystyried hynt a thynged fy ngwlad.

Dyw hi ddim yn gân i godi calon, ond nid dyna oedd y bwriad. Roedd Cymru ar y pryd yn ddigyfeiriad, yr iaith yn gwegian heb statws swyddogol a gyda dwy neu dair ysgol swyddogol Gymraeg yn unig, fawr ddim Cymraeg ar y radio, heb sôn am deledu. Ac roedd Tryweryn wedi profi tu hwnt i unrhyw amheuaeth mai cenedl heb rym o gwbwl oedd cenedl y Cymry. Amser y 'gwayw' oedd hi, nid amser gorfoledd.

Erbyn hyn fodd bynnag, mae'r gân hon yn fodd o atgoffa rhywun ein bod wedi symud ymlaen ymhell iawn ar y ffordd i'r Gymru newydd ers canol y 60au. Na, dyw'r 'frwydr' ddim wedi ei hennill fel y myn rhai. Ond o leia mae gan Gymru a'r Gymraeg gyfle da i oroesi, ac ar sawl gwedd mae'r newid wedi bod yn syfrdanol: lle nad oedd ond un ysgol gynradd yn dysgu drwy'r Gymraeg yng Nghaerdydd, mae dros ugain heddiw, a'r rheiny yn dysgu plant o bob cefndir drwy'r iaith. Mae gennym sianel deledu Gymraeg a diwydiant teledu bywiog, gwasanaeth o safon yn Gymraeg ar y radio. Bywyd cerddorol egnïol Cymraeg a diwydiant cyhoeddi syfrdanol o ystyried maint y gynulleidfa. Ac yn goron ar y cyfan, mae gennym Senedd etholedig yn ein prifddinas i wasanaethu'r genedl.

Wrth gwrs fod gennym ffordd bell i fynd, a heriau mawr yn wynebu'r Gymraeg a'n hardaloedd gwledig ac amaethyddol. Ond does gen i ddim amynedd gyda'r rhai sy'n darogan tranc y genedl fel petaen nhw'n edrych ymlaen at angladd anochel. Dathlwn ein buddugoliaethau, ac awn ymlaen i wynebu her y dyfodol, â gwên ar ein hwynebau. Ein braint ni yw cael byw drwy'r cyfnod sy'n mynd i sicrhau Cymru annibynnol, fel y gallwn gyfrannu'n llawn i greu byd newydd heddychlon a chall. Dyna pam, pan fyddaf yn canu'r gân hon bellach, byddaf yn troi'r 'gwayw' yn y gytgan olaf yn 'llawenydd'.

8.
Pam fod Eira yn Wyn

Pan fydd haul ar y mynydd, pan fydd gwynt ar y môr,
Pan fydd blodau yn y perthi a'r goedwig yn gôr,
Pan fydd dagrau f'anwylyd fel gwlith ar y gwawn
Rwy'n gwybod bryd hynny mai hyn sydd yn iawn.

Cytgan:

Rwy'n gwybod beth yw rhyddid, rwy'n gwybod beth yw'r gwir,
Rwy'n gwybod beth yw cariad at bobol ac at dir;
Felly peidiwch â gofyn eich cwestiynau dwl,
Peidiwch edrych arna'i mor syn
Dim ond ffŵl sydd yn gofyn pam fod eira yn wyn.

Pan fydd geiriau fy nghyfeillion yn felys fel y gwin,
A'r seiniau mwyn cynefin yn dawnsio ar eu min,
Pan fydd nodau hen alaw yn lleddfu fy nghlyw
Rwy'n gwybod beth yw perthyn ac rwy'n gwybod beth yw byw!

(Cytgan)

Pan welaf graith y glöwr a'r gwaed ar y garreg las,
Pan welaf lle bu'r tyddynnwr yn cribo gwair i'w das,
Pan welaf bren y gorthrwm am wddf y bachgen tlawd,
Rwy'n gwybod bod rhaid i minnau sefyll dros fy mrawd.

(Cytgan)

Efallai mai hon yw un o fy mhrif gyfansoddiadau, gan iddi gael ei geni ym merw dechrau'r 70au, ac mae'n rhyw fath o faniffesto personol.

Ym mis Mai 1971, bu un o'r achosion llys mwyaf dramatig yn hanes Cymdeithas yr Iaith Gymraeg ym Mrawdlys Abertawe. Roedd yr ymgyrch i gael Cymraeg ar arwyddion ffyrdd Cymru wedi bod yn rhygnu ymlaen ers tua pum mlynedd: llythyru, deisebu a gorymdeithiau i ddechrau, ond dim yn tycio. Wedyn daeth 1969 a blwyddyn o beintio'r byd yn wyrdd. Yna blwyddyn o gadoediad i roi cyfle olaf i George Thomas a'i griw i weithredu. Ac yna blwyddyn o dynnu arwyddion ledled y wlad. Wedi misoedd o falu arwyddion uniaith Saesneg, roedd yr awdurdodau yn benderfynol o ddysgu gwers i giwed y Gymdeithas unwaith ac am byth. A be wnaethon nhw? Llusgo rhyw hen gyfraith o'r Oesoedd Canol oedd yn caniatáu cael pobol yn euog o 'gynllwynio' heb orfod profi eu bod wedi gwneud dim mewn gwirionedd. Ac felly arestiwyd saith o 'arweinwyr' y Gymdeithas liw nos ym mis Chwefror, a gyrru pob un – mewn cerbydau ar wahân – i gelloedd Caerfyrddin dros nos. Cyhuddwyd ni o 'gynllwynio i falu arwyddion' a'n gollwng ar fechnïaeth tan fis Mai.

Nid yn unig roedd profi cynllwyn yn fater gweddol hawdd,

ond roedd modd gosod dedfrydau hir o garchar am y drosedd. Fe'n rhybuddiwyd i gyd y gallem ddisgwyl o leia dwy flynedd tan glo. Roedd gan nifer ohonom blant ifanc iawn, felly roedd y bygythiad yn ein sobri. Ond doedd neb yn difaru dim. Fe wyddem ein bod yn rhan o ymgyrch dyngedfennol dros y Gymraeg oedd yn golygu llawer mwy nag arwyddion ffyrdd.

Gan ei bod yn ymgyrch mor weladwy, ac yn un oedd wedi codi gwrychyn carfan helaeth o'r cyhoedd, roedd y sgwrs genedlaethol ynglŷn â statws a'r defnydd o'r Gymraeg wedi cyrraedd rhyw fath o benllanw. Ac yr oedd yr achos llys yn gyfle gwych inni osod ein dadleuon gerbron.

A dweud y gwir, roedd y pythefnos hwnnw ym Mrawdlys Abertawe yn theatr pur, ac mi fwynheais bob munud ohono, carchar neu beidio. A'r olygfa fwya bythgofiadwy – ar wahân i weld y torfeydd mawr y tu allan i'r llys – oedd gweld y plismyn yn cario'r 'dystiolaeth' i mewn, a gadael tomen enfawr o arwyddion Saesneg maluriedig ar lawr y llys.

Ond roedd yn rhaid paratoi am y gwaetha, a rhan o'r paratoadau yn fy achos i oedd recordio caneuon i'w rhyddhau yn ystod y carchariad. A'r brif gân oedd 'Pam fod Eira yn Wyn'. Roedd y syniad wedi bod yn troi yn fy mhen ers tro, sef mai sefyllfa annaturiol yw gorfod egluro i newyddiadurwyr a chyflwynwyr teledu a radio pam bod yr iaith Gymraeg a Chymru yn golygu cymaint i ni. Wedi'r cyfan, pwy fyddai'n cerdded i lawr Stryd Westgate ar ddiwrnod gêm ryngwladol rhwng Cymru a Lloegr efo camera a meic a gofyn i rywun oedd wedi ei lapio mewn dreigiau a sgarffiau coch,

'Pam ydech chi'n cefnogi Cymru?'

Oni fyddai'r cefnogwr rygbi yn edrych ar yr holwr yn hurt a dweud,

'Oes angen gofyn?'

Dyna sydd y tu cefn i'r bachyn, 'dim ond ffŵl sydd yn gofyn pam fod eira yn wyn'.

Ond efallai nad ydi'r gosodiad hwnnw mor addas ag y tybiwn i ar y pryd. Rai blynyddoedd ar ôl i'r gân gael ei chyhoeddi, mi wnes i gwrdd â hen ffrind ysgol ar faes y Brifwyl – cyfaill sy'n un o brif wyddonwyr ei genhedlaeth gyda llaw – ac meddai â gwên ar ei wyneb:

'Dwi ddim yn rhy hoff o'r gân yna gen ti sy'n deud mai ffŵl sy'n gofyn pam mae eira'n wyn. Dwi wedi treulio rhan helaeth o fy mywyd fel darlithydd yn trio egluro i fyfyrwyr pam!'

A dyna fy rhoi i yn fy lle. Ond prif gynnwys y gân yw nodi'r pethau sy'n gwneud imi deimlo'n falch o fod yn Gymro – pethau cyffredin fel haul ar fynydd a gwynt ar fôr, sgwrs cyfeillion a chlywed hen alaw yn cael ei chanu. Ac y mae'r pennill ola yn cyfeirio at rai o'r prif elfennau yn hanes Cymru sy'n taro tant yn nwfn y galon i mi: llafur ac aberth y glowyr a'r chwarelwyr, bywyd caled y tyddynwyr tlawd, a phren creulon y 'Welsh Not' am wddf plant Cymru. Byddai rhai mae'n siŵr yn gweld y rhain fel ystrydebau. Ond cofiwn fod ystrydebau yn bodoli am eu bod yn ffaith, ac i mi, dyma rai o'r ffeithiau sydd wedi ffurfio'r Gymru yr ydym wedi ei hetifeddu.

Pan gafodd yr arlunydd o Fôn, Wil Rowlands, gais gan gwmni teledu i wneud portread ohonof, mi ddewisodd y delweddau hyn fel cefndir i'r llun, ac yr oeddwn yn falch iawn o hynny. Mae'n debyg mai'r diolch gorau y gall unrhyw gyfansoddwr ei dderbyn yw prawf bod rhywun yn rhywle wedi gwrando, wedi deall, ac wedi ymateb; a phan fydd y rhywun hwnnw (neu honno) yn artist creadigol, mae fy nghwpan yn llawn.

Un cwestiwn sy'n cael ei ofyn imi o bryd i'w gilydd yw pa un yw fy hoff gân i'w chanu? Mae'n gwestiwn amhosib i'w ateb, ond pe bawn yn gorfod dewis, byddai hon ar y rhestr fer yn sicr ddigon. A gyda llaw, fe gawsom ein carcharu ar derfyn achos cynllwynio Abertawe. Ond roedd y ddedfryd wedi ei gohirio. Roedd yr awdurdodau yn gwybod y byddai ein carcharu ar unwaith yn gyhoeddusrwydd gwych i achos y Gymdeithas, ac yn codi'r tymheredd gwleidyddol yng Nghymru i'r entrychion. Ac felly cawsom i gyd – ar wahân i Ffred Ffransis druan, oedd eisoes dan glo – osgoi carchar.

9.

Mae'n Wlad i Mi

(Gydag Edward Morus Jones
Alaw: Woody Guthrie)

Mi fûm yn crwydro hyd lwybrau unig
ar foelydd meithion yr hen Arennig,
A chlywn yr awel yn dweud yn dawel:
'Mae'r wlad hon yn eiddo i ti a mi'.

Cytgan:

Mae'n wlad i mi ac mae'n wlad i tithau,
o gopa'r Wyddfa i lawr i'w thraethau,
O'r de i'r gogledd, o Fôn i Fynwy,
mae'r wlad hon yn eiddo i ti a mi.

Mi welais ddyfroedd Dyfrdwy'n loetran
wrth droed yr Aran ar noson loergan,
A'r tonnau'n sisial ar lan Llyn Tegid:
'Mae'r wlad hon yn eiddo i ti a mi'

(Cytgan)

Mae tywod euraid ar draeth Llangrannog,
a'r môr yn wyrddlas ym mae Llanbedrog,
O ddwfn yr eigion clywn glychau'n canu:
'Mae'r wlad hon yn eiddo i ti a mi.'

(Cytgan)

Edward a minnau yn ailgydio yn 'Mae'n Wlad i Mi' wrth gyfarfod ar hap yn Sir Fôn.

Mae popeth am y gân hon yn dipyn o ryfeddod i mi. I ddechrau, damwain bron oedd ei chynnwys o gwbwl ar ail EP Edward a minnau yn 1966. Roeddwn wedi cael gwahoddiad gan John Edwards, perchennog cwmni recordio Welsh Teldisc, i wneud record ar ôl iddo fy nghlywed ar raglen *Y Dydd*. Cerddor clasurol oedd John Edwards, wedi cyfeilio i lawer o gantorion gorau'r wlad. Ond ers blynyddoedd roedd wedi bod yn allweddol yn y byd recordio Cymraeg.

Pan sefydlwyd cwmni Qualiton gan y brodyr Talfan Davies, John gafodd y gwaith o redeg y cwmni ym Mhontardawe. Ond pan benderfynwyd gwerthu'r label i Decca rai blynyddoedd yn ddiweddarach, roedd John yn gandryll, a phenderfynodd sefydlu ei gwmni ei hun. Roedd yn tynnu mlaen mewn oedran erbyn i mi ei gyfarfod, a'i iechyd yn dirywio. Ond roedd yn benderfynol o fy nghael i recordio iddo.

Roeddwn i'n amheus iawn am yr holl beth, gan mai prentis oeddwn i'n dal i fod yn fy meddwl fy hun, ac yn elfennol iawn o ran fy sgiliau gitâr. Ond wedi cael fy mherswadio gan John Edwards, mi wyddwn y byddai'n rhaid imi gael tipyn o gymorth gyda'r cyfeiliant, a gofynnais i Edward a fyddai'n rhoi help llaw i mi.

Roedd Edward a minnau wedi dod yn gyfeillion yn Llanuwchllyn, wedi i Nhad symud yno'n weinidog ar yr Hen Gapel yn 1955. Bu Edward am gyfnod mewn band gyda 'mrawd Arthur, yn chwarae stwff y Shadows ac ati, ac roedd y ddau yn dipyn gwell gitarwyr na mi. Ar ben hynny, roedd gan Edward gitâr 12 tant – peth prin iawn yr adeg honno. Roedd Edward a minnau wedi canu ychydig o weithiau gyda'n gilydd, ac felly mi wyddwn y gallwn ddibynnu arno i roi ychydig o gyfeiliant lleisiol yn ogystal ag offerynnol. Ac mi gytunodd Edward yn barod iawn.

Y lle a ddewiswyd ar gyfer y recordiad cyntaf hwnnw oedd Clwb Cymdeithasol ym mhentre Creunant, Cwm Nedd. Bore Sul oedd hi, a Noel Kendrick oedd enw'r peiriannydd, gyda Jo Jones (Jo Cambrian yn ddiweddarach) yn gyfrifol am y trefniadau. Wedi i Noel osod ei beiriant Ferrograph ar y bwrdd, ac un meicroffon, gosodwyd Edward a minnau i sefyll o'i flaen, gofynnwyd i'r merched oedd yn golchi gwydrau'r noson cynt yn y gegin i dawelu ychydig. Ac i ffwrdd â ni ar antur fawr gyntaf ein gyrfa recordio! 'Wrth feddwl am fy Nghymru', 'Wyt ti'n Cofio?', 'Bryniau Bro Afallon' a 'Meddwl Amdanat Ti' oedd y caneuon a ddewiswyd ar gyfer yr EP gyntaf honno.

Dwi'n meddwl inni recordio'r cyfan ar un cynnig, mwy neu lai, a Noel yn ddigon bodlon ar y canlyniadau wrth chwarae'r caneuon yn ôl inni. A dweud y gwir, gan ein bod mor ddibrofiad yn y gwaith, roedd y cyfan yn swnio'n ddigon derbyniol i ninnau, a wnaethon ni ddim gofyn am ail gynnig.

Roedd Gwersyll Glan-llyn yn feithrinfa i'r byd canu pop newydd; yn y llun gwelir Gaynor a Hannah o grŵp Y Cwennod o Abertawe yn dysgu cord newydd i mi a gwersyllwr arall dan lygaid barcud y cyw-newyddiadurwr Emrys Arthur.

O weld EP gyfan yn y can (fel mae'n nhw'n dweud yn y busnes), a hynny o fewn dim o dro, gofynnodd Jo Jones a oedd gynnon ni bedair cân arall yn barod? Edrychodd Edward a minnau ar ein gilydd, a llwyddo i feddwl am dair yn ddigon didrafferth. Ond nid oedd y bedwaredd mor rhwydd. Yna cafodd Edward weledigaeth. Meddai,

'Dwi'n meddwl siŵr fod geiriau "Mae'n Wlad i Mi" gen i yn y car.'

A ffwrdd â fo i chwilio amdanyn nhw. Roedd gen i gof o glywed Edward ac Arthur yn canu'r gân honno rywbryd, ac roedd gen i grap go dda ar yr alaw. Ond dwi ddim yn meddwl fod Edward a fi wedi ei chanu o gwbwl. Wedi chwilio a chwalu yn y car am sbel, daeth Edward yn ôl yn waglaw.

'Sori! Dim golwg o'r geirie.'

Ond roedd yn cofio'r gytgan, ac wedi rhoi tro neu ddau arni, mi es inne ati i roi tri phennill at ei gilydd yn y fan a'r lle. A dyna sut y daeth yr addasiad Cymraeg o gân adnabyddus Woody Guthrie yn rhan o ail record Edward a minnau, ac yn rhan annatod o fy *repertoire* i fyth ers hynny.

Efallai mai dyma'r lle i sôn am gyfraniad Gwersyll Glan-llyn yr Urdd i ddatblygiad canu cyfoes Cymraeg. O fynd yn ôl at flynyddoedd cynnar Urdd Gobaith Cymru, clywais ddweud fod Syr Ifan wedi mynd ati i gasglu caneuon y gellid eu canu yn y gwersylloedd. (Mae'n debyg i Baden Powell wneud rhywbeth tebyg ar gyfer y Sgowtiaid, ac i'r ddau fynd mor bell ag America i chwilio.)

Y cam nesaf oedd rhoi geiriau Cymraeg ar y caneuon, a dyna sut y daethom ni, wersyllwyr brwd yr Urdd i gredu mai caneuon Cymraeg traddodiadol oedd 'Dyna ti yn Eistedd y Deryn Du', 'Awn am dro i Frest Pen Coed', 'Elen, o Elen' a 'Lawr ar lan y môr' ac ati. Ond caneuon wedi eu haddasu o'r Saesneg ac o ieithoedd eraill oedden nhw. Fel estyniad i'r traddodiad hwnnw, daeth gwersyll Glan-llyn yn y 60au yn lle naturiol i do newydd o gerddorion Cymraeg ymarfer eu doniau cyfansoddi, chwarae gitâr a chanu. Yn eu plith roedd Dewi Pws, Heather Jones, Huw Jones, Delwyn Siôn, Edward a finne. Mae'r rhestr yn faith, a phawb yn tystio i'r ffaith mai yno y ganwyd, i bob pwrpas, y Byd Pop Cymraeg, a ddatblygodd ymhellach yn 'Sîn Roc'.

Wrth i'r blynyddoedd fynd heibio, ac wrth i 'Mae'n Wlad i Mi' sefydlu ei hun fel un o ganeuon Cymraeg mwyaf adnabyddus ei chyfnod, yn naturiol roedd fy chwilfrydedd i am y cyfansoddwr gwreiddiol yn tyfu. Mae Woody Guthrie erbyn hyn yn cael ei gydnabod fel un o brif gymeriadau canu gwerin gwleidyddol Unol Daleithiau America yn yr 20fed ganrif, ac yn un o gyfansoddwyr mwyaf dylanwadol ei oes.

Doedd o'i hun ddim yn hoff o'r disgrifiad 'folk' am ei ganeuon. Gwelai ei hun fel trwbadŵr neu faledwr crwydrol oedd yn canu am fywyd pobol a gweithwyr cyffredin ei wlad, gan fflangellu gormes a thwyll o bob math, ac yn drwm ei lach ar wleidyddion llwgr. Roedd yn gomiwnydd o ran ei syniadau, ac yn llais i'r miliynau oedd yn dioddef tlodi cyfnod y Dirwasgiad mawr yn ystod y 30au. Cyfansoddodd dros fil o ganeuon, ac ysgrifennodd yn helaeth mewn rhyddiaith loyw am ei brofiadau yn crwydro'i famwlad. Yr oedd i fyd y canu yr hyn oedd John Steinbeck i fyd y nofel.

Mae ei fab Arlo, sy'n ganwr llwyddiannus ei hunan, a'i ferch Nora, wedi gwneud gwaith manwl ar fywyd a chaneuon eu tad, ac yn mynnu bod rhaid edrych ar ei ganeuon yn eu cyd-destun. Roedd Woody yn cyfansoddi cymaint o ganeuon fel eu bod yn ffurfio corff o sylwadaeth ar eu cyfnod, a'i bod yn haws deall neges pob cân drwy edrych ar y caneuon eraill a gyfansoddwyd yr un adeg. Mae'n debyg mai'r gân a sgwennodd cyn 'This Land is Your Land' oedd 'Where's my Government Road?', sef cân yn beirniadu'r llywodraeth am adael i ffyrdd y wlad ddirywio cymaint yn ystod y Dirwasgiad nes i rai ffyrdd gael eu cau. Fel teithiwr cyson, roedd yn ymwybodol iawn o hyn, a galwai ar y llywodraeth i roi gwaith i bobol ddi-waith yn gwella'r ffyrdd ac i adeiladu ysgolion ac ysbytai ar gyfer y dyfodol. Rhyfedd fel y mae'r dadleuon hynny yn cael eu hadleisio heddiw yn ein gwlad ninnau.

Ond yn ôl copi gwreiddiol o'r gân dan sylw, yn llawysgrifen yr awdur, 'God Blessed America' oedd y teitl gwreiddiol. A llinell olaf y gytgan oedd nid 'This land was made for you and me', ond 'God blessed America for me'. Er bod Woody Guthrie yn caru ei wlad, roedd yn casáu yr hyn yr oedd y gwleidyddion a 'Wall Street' wedi ei wneud ohoni. Ac mae geiriau'r gân yn ddarlun cignoeth o wlad yn diodde tlodi enbyd, a'r rhesi hir o bobol yn ciwio am fudd-dâl a bwyd.

Doedd Guthrie hyd y gwn i ddim yn anffyddiwr, comiwnydd neu beidio, ond mae'n amlwg bod teitl gwreiddiol y gân yn dychanu anthem genedlaethol yr UDA yn ogystal â'i gwleidyddion. Yr hyn sy'n ddiddorol yw fod yna gopi llawysgrif arall o'r gân yn dangos llinell olaf y gytgan fel hyn:

'God made this land for you and me.'

Ac y mae hynny yn atgoffa rhywun o gerdd a gyfansoddwyd gan Gymro o'r enw R.J. Derfel tua hanner can mlynedd cyn cyfnod Woody Guthrie – un arall o dueddfryd comiwnyddol, ac un arall a deimlai i'r byw yn erbyn gormes ac anghyfiawnder a thlodi. Ac un yn galw am ddychwelyd tir Cymru yn ôl i ddwylo ei phobol:

'Mynnwch y ddaear yn ôl!'

Yn wir, mwya' i gyd y mae rhywun yn ei ddysgu am gyfansoddiadau Robert Jones Derfel (ychwanegodd y Derfel at ei enw bedydd pan ffurfiodd gymdeithas lenyddol ym Manceinion gyda Ceiriog a Creuddynfab ac Idris Fychan), mwya o debygrwydd sy'n dod i'r amlwg rhwng ei syniadau o a syniadau Woody Guthrie. Ond yr oedd daliadau R.J. Derfel wedi eu gwreiddio'n ddwfn yn naear ei famwlad yntau, a chredai'n gryf y dylai Cymru gael Prifysgol Genedlaethol, papur dyddiol Cymraeg cenedlaethol, Llyfrgell ac Amgueddfa Genedlaethol, Ysgol Gelf ac Arsyllfa Genedlaethol, a rhwydwaith o lyfrgelloedd pentrefol. Dyn o flaen ei amser yn sicr, ac un y dylai pobol ifanc Cymru gael gwybod llawer mwy amdano. Bu farw yn 1905.

Drigain a dwy o flynyddoedd yn ddiweddarach, wedi dioddef pymtheng mlynedd o gystudd blin, bu farw Woody Guthrie. Cynhaliwyd dau gyngerdd na fu eu tebyg i ddathlu ei fywyd a'i waith yn Neuadd Carnegie yn Efrog Newydd, cyngherddau a ail-gynheuodd yrfa ganu Bob Dylan, o bosib disgybl disgleiriaf Guthrie.

Ac erbyn ei farw yn 1967, roedd fersiwn Gymraeg anthem fawr Woody i America yn bwrw gwreiddiau newydd yma yng Nghymru. Wrth greu'r geirie Cymraeg, wnaethon ni ddim ceisio adlewyrchu'r elfennau eironig a beirniadol oedd yng ngeirie Guthrie, dim ond canolbwyntio ar undod Cymru. Wedi'r cyfan, does neb yn bygwth bodolaeth yr UDA, ond y mae'r rhwygiadau mewnol yn medru peryglu ein dyfodol ni fel cenedl.

De a gogledd, dwyrain a gorllewin, Cymraeg a di-Gymraeg – unwn yn y frwydr dros Gymru.

10.
Ai am fod Haul yn Machlud?

Ai am fod haul yn machlud mae deigryn yn llosgi fy ngrudd?
Neu ai am fod nos yn bygwth rhoi terfyn ar antur y dydd?
Neu ai am fod côr y goedwig yn distewi a mynd yn fud?
Neu ai am i rywun fy ngadael yr wyf innau yn unig fy myd?

Ai am fod golau'r lleuad yn oer ar ruddiau'r nos?
Neu ai am fod oerwynt gerwin yn cwyno uwch manwellt y rhos?
Neu ai am fod cri'r gylfinir yn distewi a mynd yn fud?
Neu ai am i rywun fy ngadael yr wyf innau mor dywyll fy myd?

Ond os yw yr haul wedi machlud, mae gobaith yng ngolau'r lloer
A chysgod yn nwfn y cysgodion i'm cadw rhag y gwyntoedd oer,
Ac os aeth cri'r gylfinir yn un â'r distawrwydd mawr,
Mi wn y daw rhywun i gadw yr oed cyn toriad y wawr.

Mae byd natur, mewn rhyw ffordd neu'i gilydd, yn bresennol yn y rhan fwyaf o fy nghaneuon – ac i raddau yn cyfleu'r dirgelwch sy'n rhan o neges y gân hon.

Mae'r gân yma'n un o fy ffefrynnau, ond hefyd mae'n destun penbleth go ryfedd. Pan gyfansoddais hi nôl yn niwedd y 60au roeddwn yn gwir gredu mai cân serch oedd hi – cân braidd yn drist yn sôn am golli cariad.

Ond wrth i'r blynyddoedd fynd heibio, mae'r gân wedi datblygu i fod yn rhywbeth llawer mwy na hynny. Y gwir plaen yw nad wyf i fy hun yn siŵr! A dyw hynny ddim yn beth mor anarferol â hynny. Dwi wedi clywed ambell i gyfansoddwr (ac ambell i fardd – ond dwi ddim yn fardd) yn cyfadde nad yw'n siŵr beth a symbylodd rhyw gân arbennig, neu am beth yn union y mae'n sôn.

Erbyn hyn dwi wedi dod i'r casgliad mai cân yw hon sy'n cyfeirio at y pethau pwysig hynny y medrwn eu colli os na fyddwn yn ofalus – eu colli, neu droi cefn arnyn nhw. Gall fod yn gariad, gall fod yn Gymru, a gall fod yn Dduw. Y rhywbeth pwysig hwnnw sy'n gallu rhoi ystyr i'n bywydau, ac sy'n gallu gwneud bywyd yn werth ei fyw. A'r ffaith sy'n dychryn yw y gallwn eu gwrthod; gallwn dwyllo'n hunain ei fod yn well byd hebddyn nhw. Twyllo'n hunain y gallwn fyw heb gariad, heb Gymru neu heb Dduw.

Dwi'n gwybod fod hyn yn swnio fel pregeth braidd yn drom, ond peidiwch poeni! Trio dangos ydw i fel y gall cân – ie, hyd yn oed un yr ydech chi eich hun wedi ei chyfansoddi – wneud i chi sylweddoli rhywbeth am y tro cynta, rhywbeth o bwys mawr yn eich bywyd nad oeddech yn ymwybodol ohono o'r blaen. Dyna mae'n debyg yw cryfder a chyfrinach rhai caneuon – maen nhw'n gallu cyfleu rhywbeth i'r gwrandäwr nad oedd hyd yn oed y cyfansoddwr ei hun yn ei sylweddoli wrth ysgrifennu.

Gallwn ni gefnu ar gariad, neu gall cariad gefnu arnon ni; gallwn gefnu ar Gymru, a gallwn gefnu ar Dduw. Ond fedrwn ni wneud hebddyn nhw? Beth sy'n ddifyr i mi am y gân hon – a bwrw bod rhyw arwyddocâd iddi o gwbl – yw ei bod, yn ddiarwybod imi fy hun, yn fy atgoffa o'r pethau sydd mor bwysig inni yn ein bywyd, a hyd yn oed os yden ni wedi troi cefn arnyn nhw dros dro, maen nhw yno yn disgwyl amdanom o hyd. Yn barod i gadw'r oed.

A dyna bregeth fach arall drosodd! Da di caneuon, ynde?

11.

Mi Glywaf, mi Glywaf y Llais

Mi glywaf, mi glywaf y llais
Yn galw, yn galw yn glir,
A minnau ar grwydr, ymhell o'm llwybr
Ymhell o'm cynefin dir,
Yn dal i gerdded heb lygaid i weled
A'r daith yn flin ac yn hir.
Ni wyddom pa beryg a ddaw, estyn i minnau dy law,
Aros amdanaf – ni fedraf i gerdded fy hun.

Mi glywaf, mi glywaf y llais
Yn galw, yn galw o hyd,
A minnau'n ddi-hidio, yn dal i fynd heibio
Yr ochor arall i'r stryd.
Heb aros i feddwl, na phoeni o gwbwl
Am bwrpas fy nhaith yn y byd.
Ni wyddom pa beryg a ddaw, estyn i minnau dy law,
Aros amdanaf – ni fedraf i gerdded fy hun.

Mi glywaf, mi glywaf y llais
Yn galw, yn galw mor fwyn,
Mae'i lais yn yr awel, yn galw yn dawel
Ym mrigau y goedlan a'r llwyn,
Mae'i lais ar y ffriddoedd, ar erwau'r mynyddoedd
Ar frynie a thyle a thwyn.
Ni wyddom pa beryg a ddaw, estyn i minnau dy law,
Aros amdanaf – ni fedraf i gerdded fy hun.

Mae hon yn perthyn yn agos i'r gân flaenorol, ond bod ei byrdwn yn nes at neges grefyddol na'r llall; un peth a gredaf yn gryf yw fod Duw yn llefaru wrthym trwy fyd natur.

Mi ges i gais gan Trebor Edwards i sgwennu cân iddo pan oedd yn paratoi ar gyfer un o'i albyms yn Stiwdio Sain. Roeddwn wedi ceisio dwyn perswâd arno i recordio albym o emynau, ond roedd yn gyndyn iawn i wneud hynny. Mi wyddwn ei fod yn gapelwr selog ym Metws Gwerful Goch, ac yn gadarn ei ffydd. Ond doedd gwneud record gyfan o emynau ddim yn apelio ato, ac mi allaf gydymdeimlo ag ef i raddau.

Pan fyddwch chi wrthi'n cynnal cyngherddau yn gyson, ac yn cael rhywfaint o dâl am wneud, mae canu emyn yn gallu bod yn chwithig i rywun sy'n credu. Roedd Trebor yn canu ambell i emyn wrth gwrs, a hynny gydag arddeliad. Ond mater arall fyddai gwneud albym gyfan o emynau.

Ta waeth am hynny, pan ges i gais ganddo am gân, penderfynais y byddwn yn rhoi cynnig ar gân oedd yn grefyddol o ran naws, ond heb fod yn emyn fel y cyfryw. Nid cuddio'r neges Gristnogol yn gymaint â cheisio'i gosod mewn cyddestun profiad rhywun cyffredin. A'r canlyniad oedd 'Mi Glywaf, mi Glywaf y Llais'. Un o fy hoff emynau yw'r addasiad enwog o waith Ieuan Gwyllt 'Mi glywaf dyner lais', ac mae'n amlwg mai o fanno y ces i'r syniad. Dyma ddatblygu'r syniad hwnnw wedyn i gyfleu bod llais Duw i'w glywed ym myd natur o'n cwmpas – rhywbeth sy'n magu mwy o ystyr imi fel mae'r blynyddoedd yn mynd heibio. Ac wrth i argyfwng cynhesu bydeang a newid hinsawdd ddod yn nes ac yn nes, mae'r syniad o warchod byd natur a'n hamgylchedd naturiol yn gwneud pob math o synnwyr i Gristion sy'n credu mai Duw a greodd y cyfan. Gwarchod gwaith Duw trwy warchod yr amgylchedd, ac achub bywydau miliynau o bobol trwy wneud hynny.

Ond prif neges y gân yw nad oes modd dianc rhag y llais sy'n ein hatgoffa mai ein dyletswydd yw gwarchod a charu'n gilydd, ac estyn llaw i'r sawl a syrthiodd ar fin y ffordd. Ac yr oedd llais Trebor yn cyfleu'r neges i'r dim. A'i gyfrinach fawr yw ei fod yn gallu argyhoeddi cynulleidfa ei fod yn canu o'r galon, ac yn credu yr hyn y mae'n ei ganu.

Mi gefais y fraint o gydweithio gyda Trebor, a rhannu aml i lwyfan efo fo, ar draws y blynyddoedd, a bu'n gyfaill mawr i Gwmni Sain. A does gen i ddim amheuaeth o gwbwl wrth ddweud ei fod yn un o brif artistiaid Cymru, un sy'n meddu ar y ddawn brin honno i fynd at galon ei gynulleidfa. Ac nid ystrydeb wag yw dweud peth fel yna, ac y mae'n amhosib ei egluro'n iawn. Nifer fach o gantorion sy'n meddu ar y peth cyfrin hwnnw – a gall y cantorion hynny fod yn 'glasurol' megis David Lloyd neu'n gantorion 'ysgafn' fel Trebor – sy'n gyfuniad o ansawdd y llais a phersonoliaeth y canwr neu gantores, a'r elfen ychwanegol honno na ellir ei hesbonio. Ond mae'r gynulleidfa'n gallu ei nabod.

I bawb ohonom a gafodd y fraint o deithio Cymru a'r tu hwnt yn difyrru cynulleidfaoedd o bob math, mae cwmni a chyfeillgarwch ein cyd-gantorion yn rhywbeth gwerthfawr iawn. Dyw'r gwaith ddim yn fêl i gyd o bell ffordd! Mae ambell neuadd a festri yn medru bod yn llefydd oer a llychlyd a digon anghyfforddus pan fyddwch yn disgwyl eich tro. Ac y mae ceisio plesio ambell i gynulleidfa mwy oeraidd na'i gilydd weithiau'n gallu bod yn dipyn o dasg, a'r frwydr gydag ambell i feicroffon sâl neu sgubor llawn eco o bryd i'w gilydd yn lladdfa. Ac ar yr adegau hynny, yr unig beth y medrwch ddibynnu arno am rywfaint o gysur yw cwmnïaeth eich cyd-berfformwyr. A thrwy'r treialon mae'r cyfeillgarwch yn medru tyfu i fod yn un cryf a pharhaol iawn.

I bwt o gyfansoddwr caneuon fel fi, braint fawr yw cael cyfansoddi ar gyfer rhai o'r cyfeillion hyn. Ac y mae bob amser yn bleser eu clywed yn rhoi bywyd newydd i'r caneuon. Dros y blynyddoedd, cefais gyfle i gyfansoddi geiriau ac alawon i nifer o fy nghyd-berfformwyr: John ac Alun, Siân James, Y Pelydrau, Iona ac Andy, Wil Tân, Trebor Edwards, Dylan a Neil. Ac y mae llawer rhagor yn perfformio fy nghaneuon o bryd i'w gilydd.

Diolch iddynt. Efallai mai hynny yw ystyr bywyd tragwyddol!

12.

Weli di Gymru?

Ti yn dy swyddfa yn Neuadd y Dre,
yn meddwl mai ffurflen sy'n rhoi'r byd yn ei le;
Cyfod o'th gadair a saf ar dy draed
fel y gallwn ni weled ai coch yw dy waed.

Cytgan:

O! Weli di, weli di Gymru?
Weli di, weli di hi?
Pwy all ei hachub os na wnei di?

Ti ar dy Gyngor a'th bwysau mor fawr,
dy air sy'n rheoli y machlud a'r wawr;
Y werin fach ddistaw mor syn wrth dy draed,
ond mae hithau'n dechrau amau ai coch yw dy waed.

(Cytgan)

Ti yn dy swyddfa a'th sigâr yn dy geg,
yn rhedeg dy gwmni drwy drais neu drwy deg;
Dy gaethwas yw'r gweithiwr a'th roes ar dy draed,
ond mae yntau'n dechrau amau ai coch yw dy waed.

(Cytgan)

Ti yn dy frawdlys a'th awdurdod mor fawr,
'run lliw yw dy glogyn â'r gwaed fu ar lawr;
Hualau Prydeindod sy'n clymu dy draed,
a'r Cymro nawr yn gofyn ai coch yw dy waed.

(Cytgan)

Ti yn dy senedd mor bell o dy wlad,
teyrngarwch i'r Arglwyddi a'th brynodd mor rhad;
Pleidlais y werin a'th roes ar dy draed,
ond mae hithau'n dechrau amau ai coch yw dy waed.

(Cytgan)

Ti yn dy garchar mor bell o dy wlad,
yn dioddef y dirmyg, y gwawd a'r sarhad,
Mae Cymru o'r diwedd yn dechrau sefyll ar ei thraed
am mai syth yw dy gefen, ac am mai coch yw dy waed.

*Mae'r atgof am ganu hon – sy'n un o fy nghaneuon mwyaf
herfeiddiol ar un wedd – gyda Ray Gravell yn fyw iawn.
Mae 'herfeiddiol' yn air da i ddisgrifio Graf!*

O ddarllen geiriau'r gân hon mewn gwaed oer fel tae, mae hi'n swnio fel y peth agosaf i faniffesto'r chwyldro a gyfansoddais erioed! Ac i feddwl fy mod wedi canu hon am flynyddoedd mewn neuaddau mawr a bach ledled Cymru – a phawb (wel, y rhan fwyaf) yn ei chymeradwyo'n llawen a brwd.

Mae pawb ohonom ar ryw adeg neu'i gilydd yn hoffi beio'r rhai sydd mewn awdurdod, y rhai sy'n gwneud y rheolau, y rhai sy'n pasio'r deddfau neu sy'n berchen ar y ffatri. Arnyn NHW y mae'r bai pan fydd pethau'n mynd o chwith, nid arnom ni. Ac fel arfer, mae hynny'n hollol deg.

Ond ceisio rhoi'r cyfan mewn cyd-destun Cymreig yr oeddwn i wrth gwrs, a cheisio cael pobol i weld mai ein pobol ni ein hunain yn aml sydd mewn sefyllfa i newid ffawd Cymru a'r Gymraeg. Cymry wedi codi yn y byd i lefydd o awdurdod, ac yn fodlon sathru ar bawb a phopeth – gan gynnwys Cymru a'r iaith – er mwyn cynnal eu statws a'u lle yn y gyfundrefn Brydeinig.

Mae'n gân ddi-flewyn-ar-dafod sy'n herio tipyn o bawb i ystyried eu dyletswydd tuag at Gymru. Syniad braidd yn ddiniwed a hen-ffasiwn efallai yw 'achub Cymru' erbyn hyn, a go brin y baswn yn ei ddefnyddio mor rhwydd mewn cân heddiw. Ond roedd yn cyfleu neges ddigon clir yn ei dydd.

Roedd hon yn un o hoff ganeuon Ray Gravell, a chofiaf yn dda y tro cyntaf imi ei alw o'r gynulleidfa i ganu efo fi (yng Nghaerdydd, noson cyn gêm ryngwladol, a Ray yn chware i Gymru drannoeth), pan ofynnais iddo beth oedd o am ganu.

'Weli di Gymru,' meddai ar unwaith.

Roeddwn i braidd yn amheus, gan fod cymaint o benillion, a'r geiriau heb fod mor hawdd i'w cofio. Ond aeth Ray drwy'r gân ar ei hyd heb drafferth, a'i chanu gydag angerdd un oedd yn credu pob gair. Wrth fynd dros y geiriau yn awr, dwi'n dal i ryfeddu at sêl Ray dros Gymru, ac yn dyfalu'n aml am bwy oedd o'n meddwl wrth ei chanu. Mae'n siŵr ei fod yntau, fel y rhan fwyaf ohonom, wedi dod ar draws swyddogion hunan-bwysig, bosys gormesol, a bwlis awdurdodol yn ystod ei fywyd.

Graf yng nghymeriad Glyndŵr
yn sioe gobiau Aberaeron, 2004

Ond yn fy achos i, efallai mai'r peth mwyaf difyr (os nad anghyfforddus) am y gân hon yw fy mod, gyda'r blynyddoedd, wedi camu i sefyllfa rhai o'r dihirod y mae'r gân yn eu fflangellu! Mi es i yn fy nhro yn aelod 'pwysig' o'r Cyngor Sir. Mi es hefyd i gadair Rheolwr Cwmni Sain. Ond mi ges i'r gras i osgoi mynd yn Aelod Seneddol, heb sôn am ymuno â'r Arglwyddi!

Ond yn ystod fy nghyfnod ar Gyngor Gwynedd, mi gododd ambell i storm pan ges i fy hun ar ochr arall y gân – rhywbeth sy'n anochel bron os ydych yn barod i gymryd penderfyniadau anodd o bryd i'w gilydd. Croen iach yw croen cachgi wrth gwrs, a dyna pam mae'r rhan fwyaf o gynghorwyr yn cadw'u pennau lawr pan fydd bwledi'n hedfan. Ond wedi cymryd penderfyniad anodd, roeddwn i'n gydwybodol gredu mai fy lle i oedd sefyll i amddiffyn y penderfyniad.

Mae dau achos yn arbennig yn dod i'r cof. Ehangu harbwr cychod Pwllheli oedd un. Ac ad-drefnu ysgolion cynradd y sir oedd y llall. Yr oedd yna adeg pan imi gredu y byddai'r ddeubeth wedi eu cerfio ar fy ngharreg fedd!

Yn achos harbwr Pwllheli, roeddwn yn gryf o blaid ei gadw ym mherchnogaeth y Cyngor, a defnyddio'r incwm o'r angorfeydd i wella adnoddau a gwasanaethau'r sir i'r trigolion lleol. Gan fod galw amlwg am fwy o angorfeydd, credwn fod y ddadl dros ehangu'r harbwr yn un amlwg, yn hytrach na gwthio'r galw am ragor o angorfeydd i ddwylo preifat, a llawer o'r rheiny yn perthyn i gwmnïau o Loegr. Ond i lawer, roedd 'marina' yn air budr (a rhai o nghaneuon i wedi cyfrannu at y canfyddiad hwnnw). Ac yr oedd unrhyw sôn am ehangu marina yn bechod marwol. A thyfodd ton fawr o brotest yn erbyn y cynlluniau.

Cofiaf ddau amlygiad yn arbennig o'r brotest honno. Y cyntaf oedd gweld yr ymgyrchydd di-baid Angharad Tomos, ychydig funudau cyn i'r Cynghorwyr Sir bleidleisio ar y cynlluniau, yn dosbarthu taflen i bob Cynghorydd yn y siambr, heb yngan gair. A beth oedd ar y daflen? Cartŵn yr oeddwn i fy hunan wedi ei lunio ar gyfer *Lol* rhyw chwarter canrif ynghynt lle'r oeddwn yn darlunio Cymru wedi ei throi yn gyrchfan i dwristiaid, gyda marina mawr yn ganolbwynt. Cyflwynodd Angharad y daflen i minnau, heb ddangos unrhyw fynegiant ar ei hwyneb.

Os cofiaf yn iawn, pasiwyd cyfaddawd o blaid datblygiad llai o faint y diwrnod hwnnw. Ie, democratiaeth ar waith, a sawl un yn holi ai coch oedd fy ngwaed!

Yr ail amlygiad sy'n aros yn y cof yw galwad ffôn yn gynnar yn y bore oddi wrth y diweddar gyn-Archdderwydd Robyn Lewis. Roedd Robyn a minnau yn nabod ein gilydd yn eitha, ac wedi cydweithredu mewn sawl ymgyrch (er iddo, pan oedd yn ymgeisydd dros Blaid Cymru yn Arfon yn 1970, geisio fy rhwystro rhag canfasio am fy mod yn berson rhy eithafol!). Ond y tro hwn roedd am fynegi ei wrthwynebiad imi mewn geiriau cignoeth a dweud y lleia.

Mi aeth hi'n ddadl boeth iawn, a chefais innau gyfle yr oeddwn wedi bod yn ysu amdano ers tro i ddweud nad oeddwn yn meddwl llawer o rai o'i ddatganiadau o'r Maen Llog yn ystod ei deyrnasiad stormus fel Archdderwydd. Ni fu dim Cymraeg rhyngom am rai blynyddoedd wedi'r ymrafael hwnnw, ond mae'n dda gen i ddweud inni gymodi ymhell cyn iddo ein gadael.

Y tro diwethaf inni gyfarfod oedd yng nghartref gofal Plas Hafan yn Nefyn, lle treuliodd Robyn flynyddoedd olaf ei oes. Roeddwn i yno i ganu ychydig o ganeuon i'r preswylwyr, a daeth Robyn ataf i egluro, yn gwrtais iawn, na fyddai'n medru dod i wrando arna i gan ei fod yn cynnal dosbarth i ddysgwyr Cymraeg yr ardal mewn stafell arall yr un pryd.

Roedd achos ad-drefnu'r ysgolion yn fater llawer mwy poenus, ac yn un a newidiodd gwrs fy mywyd i raddau helaeth iawn. Wrth i gefn gwlad Cymru wynebu un argyfwng ar ôl y llall, ac wrth i hynny gael effaith pellgyrhaeddol ar yr iaith Gymraeg, mae'r angen i ystyried o ddifri sut y byddwn yn gwarchod a chynllunio ein cymunedau gwledig o'r pwys mwyaf. Cartrefi, gwaith a'r economi, amaeth, yr amgylchedd, ysgolion, capeli, gwasanaethau cyhoeddus, meddygfeydd – mae'r cyfan yn y pair, a gwir angen inni feddwl yn greadigol a chydlynol am y cwbl os ydym am sicrhau dyfodol cynaliadwy i'r cymunedau lle gall y Gymraeg ffynnu fel iaith fyw, fodern a deinamig. Nid amser am sloganau slic yw hi bellach, ond amser inni feddwl o ddifri sut mae'r elfennau uchod yn effeithio ar ei gilydd, a beth sydd angen ei wneud i'w gwarchod mewn ffordd ddychmygus a chreadigol.

Dyw cau ysgol fyth yn fater hawdd nac yn fater dymunol. Byddaf yn meddwl yn aml ei bod yn dweud llawer am ein cymdeithas a'n diwylliant ni yng Nghymru bellach y gallwn gau capel bob dydd heb i neb gynhyrfu dim, er mai'r capeli hyn fu'n ganolbwynt i'n bywyd cymunedol, ein crefydd a'n diwylliant creadigol am genedlaethau. Yno y clywsom straeon mawr y Beibl a chael sylfaen i'n Cymraeg llafar ac ysgrifenedig. Yno y'n dysgwyd i ddysgu darllen sol-ffa a chanu mewn harmoni. Yno y cawsom ni flas ar berfformio o flaen cynulleidfa. Yno y'n dysgwyd sut i gymdeithasu ag eraill. Ac yno y cawsom ein bedyddio, ein priodi. Yno y claddwyd ein hanwyliaid. Roedd ein capeli yng ngwir ystyr y gair wrth galon ein cymunedau. Ond maent yn cael eu cau bellach heb i neb fennu dim, heb sôn am godi llais. Ond cau ysgol? Byddwch yn barod am ryfel!

Wrth gwrs, rydym i gyd yn deall pam, a wnes i erioed weld bai ar neb am ymladd i gadw ysgol ar agor. Hyd yn oed pan oedd helynt ysgolion Gwynedd ar ei boethaf, doeddwn i ddim yn beirniadu neb am ymgyrchu dros eu hysgol leol. Beirniadu'r modd yr oedd rhai yn dewis ymgyrchu oeddwn i. Trodd rhai o'r protestwyr yn fuan iawn i ymosod yn bersonol, a hynny mewn modd ffiaidd ar brydiau, a chefais sawl profiad annymunol iawn lle'r oedd ffrindiau personol imi yn gweiddi enwau hyll arnaf yn gyhoeddus, a phlant yn cario fy llun drwy strydoedd Caernarfon fel pe bawn yn llofrudd. Ond dwi ddim am aros yn rhy hir gyda hynny, gan mai casineb dros dro ydoedd i raddau helaeth, er imi golli fy sedd ar Gyngor Gwynedd o ganlyniad.

Ydi hi'n edifar gen i, ac a wnaethon ni gamgymeriadau? Do, gwnaethom y camgymeriad sylfaenol o gredu y gallem gyhoeddi cynllun tymor hir (hyd at 50 mlynedd) ar gyfer ysgolion y sir, a chael trafodaeth synhwyrol amdano, yn hytrach na dilyn y llwybr arferol o gadw'r cynllun yn y dirgel, a dechrau ei weithredu fesul cam. Hynny yw, roeddem yn ddigon diniwed i gredu y gallem fod yn agored, yn hytrach nag yn gyfrwys ddichellgar yn null arferol gwleidyddiaeth. Wrth gwrs, doedd y cynllun ddim yn berffaith, ac oedd, roedd yn fwriadol eithafol. Ond roedd hefyd yn cyflwyno syniadau anturus fel ffederaleiddio, rhoi cymorth gweinyddol i benaethiaid fel y gallent ganolbwyntio'u hamser ar ddysgu, a chreu ysgolion ardal newydd gyda'r adnoddau addysgol a thechnolegol diweddaraf, wedi eu hadeiladu mewn modd cynaliadwy ac amgylcheddol gyfeillgar. Ond y prif nod, a'r nod o hyd mor bell ag yr ydw i'n barnu, yw creu ysgolion i wasanaethu ein pentrefi a'n cefn gwlad fydd yn ddigon gwydn a hyfyw i bara am weddill y ganrif, a'r addysg yn drwyadl Gymraeg a Chymreig.

Ond trwy gyhoeddi cynllun tymor hir oedd yn golygu cau neu gyfuno cymaint o ysgolion, cododd gwrthwynebiad ffyrnig o bob cwr o'r sir, a gwrthodwyd y cynlluniau. A chollodd y rhan fwyaf ohonom, arweinwyr y Cyngor, ein seddau yn yr etholiad a ddilynodd yr helynt. Bwriwyd cynlluniau addysg y sir yn ôl flynyddoedd, collwyd o gwmpas £50 miliwn o gyllid datblygu, a chollwyd o leia dair ysgol newydd allweddol – ym Mhenrhyndeudraeth, Cricieth a Nefyn. Ond dyna yw ffordd democratiaeth, a does dim pwrpas dal dig na phwdu.

Dysgwyd gwersi, do, ac yn yr idiom boblogaidd gyfredol, rhaid 'symud ymlaen'. Yn fy achos i, wrth edrych yn ôl, roedd colli fy sedd ar y Cyngor yn fendith gan imi fedru canolbwyntio ar bethau eraill. Mi drois y faner a osodwyd ar bont yn croesi ffordd fawr tre Caernarfon yn datgan 'Dafydd Iwan, Dos i Ganu' – baner a achosodd dipyn o boen i Caio a Celt a'i gwelodd ar y ffordd i'r ysgol y bore y collais fy sedd – yn deitl cân ac albym newydd, a chafodd fy ngwaith cyhoeddus fel canwr hwb o'r newydd. (Pan glywodd Celt am y gân a'r albym, trodd y siom o weld y faner yn wên o edmygedd: 'Da iawn Dad'; a minnau mor falch o dderbyn ei fendith.)

Ond i ddod yn ôl at y gân 'Weli di Gymru?', mae neges eitha pwysig ynddi cyn belled ag y mae natur y Gweision Sifil sy'n gweithio mewn Llywodraeth – lleol a chenedlaethol – yn bod. Un o fwriadau Ron Davies wrth sefydlu Cynulliad Etholedig i Gymru oedd i greu Gwasanaeth Sifil newydd Cymreig. Yn anffodus, anghofiwyd y freuddwyd honno pan ddisodlwyd Ron, ac y mae pawb ohonom sydd wedi cael unrhyw brofiad o ymwneud â'r Cynulliad – a bellach â Senedd Cymru – yn gwybod am effeithiau pellgyrhaeddol y camgymeriad hwnnw. At ei gilydd, swyddogion yw'r rhain wedi eu trwytho yn niwylliant y Gwasanaeth Sifil Prydeinig, a'u cefndir Cymreig yn gyfyng, heb sôn am eu gwybodaeth o'r iaith Gymraeg. Ac wrth reswm, mae hyn yn sicr o gael effaith ar y ffordd y mae Llywodraeth Cymru yn gwneud ei gwaith.

Fe gawsom brofiad uniongyrchol o hyn yn Sain yn ddiweddar. Ers ambell i flwyddyn bellach, ein breuddwyd yw troi ein harchif o recordiau Cymraeg (a Chymreig) i ffurf ddigidol a'i chyflwyno i ofal y Llyfrgell Genedlaethol gan sicrhau mynediad parod i'r cyhoedd iddi. Ryden ni'n sôn fan hyn am gasgliad o recordiau, cerddorol a llafar, gan gychwyn yn yr 1940au (trwy gyfrwng y labeli a brynwyd neu a etifeddwyd gan Sain dros y blynyddoedd: Qualiton, Dryw, Cambrian, Welsh Teldisc, Tŷ ar y Graig, ac eraill) sy'n cwmpasu gweithgarwch amatur a phroffesiynol o ganu traddodiadol i ganu gwerin cyfoes, cerdd dant, canu poblogaidd Cymraeg o bob math, corau a phartïon bach a mawr, gan gynnwys trysorfa helaeth o gorau meibion, cymanfa ganu, sioeau cerdd ac operâu. Ac yn y maes llafar, darlithoedd, darlleniadau gan feirdd ac actorion. Yn wir mae'r rhestr yn anferthol, ac yn cynnwys ymhell dros ddeng mil o draciau.

Buom mewn trafodaethau gyda Llywodraeth Cymru i geisio cael help ariannol i gyflawni'r broses gostus iawn o ddigido'r archif i safon uchel; cawsom un cyfarfod gyda'r Arglwyddi cyfrifol (Eluned Morgan a Dafydd Elis Thomas) a chlywsom eiriau digon cadarnhaol yn cefnogi'r bwriad o gydweithio gyda'r Llyfrgell Genedlaethol, gan awgrymu y byddai modd i'r Llywodraeth gyfrannu at y gwaith.

Buom yn trafod gyda'r Gweision Sifil dros gyfnod o ddwy flynedd a mwy, gan gyflwyno gwybodaeth fanwl a manylion ariannol fel ymateb i bob ymholiad, a'r gweision yn rhoi'r argraff o hyd, er bod sawl rhwystr i'w symud, a sawl grŵp o weision eraill, a gwleidyddion, i'w perswadio, fod yr arian ar y ffordd. Ond daeth y cyfan i ben i mi pan ofynnodd y prif drafodwr yn ein cyfarfod olaf:

'Do you think you could send me two or three tracks of your music so I can give my colleagues some idea what we are talking about here?'

Dwn i ddim oedd o'n cynnwys y ddau Arglwydd yn y 'colleagues' yma! Ond dyna fesur ein Gweision Sifil yng Nghymru. A gwaeth na hynny, ar un ystyr, wrth imi ysgrifennu hwn, mae wedi cymryd ymgyrch gyhoeddus gan y Llyfrgell Genedlaethol, a 15,000 yn arwyddo deiseb ar-lein mewn byr amser, i berswadio Llywodraeth Cymru i roi cyllid teg i un o'n sefydliadau cenedlaethol pwysicaf. Wedi gwneud toriadau mawr dros y blynyddoedd diwethaf, roedd cyfyngu pellach ar eu cyllid yn mynd i olygu colli 30 yn rhagor o swyddi, a chwtogi difrifol ar y gwasanaethau. Diolch i'r drefn, llefarodd y wlad, a gwrandawodd yr arglwydd. Ond ai dyma'r ffordd i lywodraethu cenedl? Weli di, weli di Gymru?

13.

Tyrd, Aros am Funud

Tyrd, aros am funud, a gwrando fy nghân,
Paid poeni am amser, mae'r ddalen yn lân,
Mae'r dorf wedi chwalu, a'r traffig yn fud,
Mae'n noson i ni nawr, fan hyn yw ein byd.

Tyrd, aros am eiliad, mae'r awel yn oer,
Does dim angen geiriau yng ngolau y lloer,
Mae'r hyn a ddigwyddodd wedi mynd gyda'r lli,
Does dim byd yn cyfri ond rŵan a ni.

Tyrd, aros am ennyd, does neb nawr ar ôl,
Mae geiriau y beirniaid yn ddiystyr a ffôl,
Caiff y byd fynd i'w dynged, a phob gwennol i'w nyth,
Mae'r hyn sydd yn aros, i ni ac am byth.

Tyrd, aros am funud, a gwrando fy nghân,
Cyn oeri pob angerdd, cyn diffodd pob tân,
A gad inni brofi, o olwg y byd,
Y cariad sy'n aros, yn newydd o hyd.

O fynd yn ôl at yr helyntion a brofais yn ystod fy nghyfnod ar
y Cyngor (er na fynnwn am eiliad roi'r argraff mai cyfnod
anhapus ydoedd at ei gilydd; ar y cyfan roedd yn gyfnod o
gydweithio creadigol iawn rhwng aelodau a swyddogion, a
chyfnod o wreiddio'r Gymraeg yn ddwfn yng ngweithgaredd y
Cyngor – a sawl corff arall o fewn y sir a thu hwnt), mae dwy
gân y carwn gyfeirio atyn nhw sy'n mynegi fy niolch i Bethan
am fod yn gefn imi.

Diolch Beth, am fod yn gwmni, yn gefn ac yn gariad.

Beth bynnag a ddwedwn, a beth bynnag yw'r argraff a rown yn gyhoeddus, mae pawb sy'n mynd drwy amser anodd mewn gwleidyddiaeth (fel popeth arall) yn gorfod pwyso ar rywun am gynhaliaeth. A Bethan oedd y rhywun honno yn fy achos i, ac roeddwn yn falch o roi mynegiant i hynny mewn dwy gân yn arbennig, sef 'Cysura Fi' ar alaw 'You Raise me Up', a 'Tyrd, Aros am Funud' ar alaw o waith Hefin Elis. Mae geiriau'r ail un yn deyrnged gywir iawn i'r cymorth a'r cariad a ges i, ac a gaf fi o hyd, gan Bethan.

14.

Oscar Romero

Oscar Romero! Oscar Romero!
Dwedwch ei enw, holl dlodion y byd,
Oscar Romero! Oscar Romero!
Dathlwn ei fywyd, mae'n fyw o hyd.

'Boed fy ngwaed i yn hedyn eich rhyddid
Boed i'm gobaith droi yn ffaith,
Mae fy ffydd i yn Nuw y bywyd,
Gyda'r tlodion y mae fy ngwaith.'

Fe'i saethwyd yn farw â bwled asasin
Gerbron yr allor yn San Salvador,
Bwled a brynwyd gan bres y Gorllewin,
Gelynion y werin yn El Salvador.

Mae ysbryd Romero yn fyw yn ei eiriau,
Yn fyw yn ei gariad, yn fyw yn ei waith,
'Boed fy ngwaed i yn hedyn eich rhyddid,
Boed i'm gobaith droi yn ffaith'.

Un o'r arwyr mawr; er nad oeddwn yn ei nabod, rwy'n falch o gael rhan fach yn y gwaith o ledaenu'r sôn amdano.

Mi ddes i wybod hanes Victor Jara, y canwr o Chile, trwy ddarllen y llyfr a sgrifennwyd gan ei weddw Joan yn fuan wedi ei lofruddiaeth yn 1973. Bu'r profiad mor ddirdynnol fel mai rhaid oedd cyfansoddi cân i gofnodi'r hanes. Mae sawl un wedi dweud na fydden nhw erioed wedi clywed am Victor Jara oni bai am y gân, ac y mae ei chanu bob amser yn brofiad ysgytwol i minnau. Mae ei stori mor arwrol, a'i ganeuon yn parhau i fod yn gymaint o ysbrydoliaeth i'w gydwladwyr fel bod rhywun yn gresynu nad oes mwy o sylw i bobol fel hyn yn ein hysgolion.

Rhesymau gwleidyddol yn y bôn sy'n penderfynu beth yw cynnwys addysg ein hysgolion – fel y mae rhesymau gwleidyddol wedi penderfynu nad yw hanes Cymru yn cael ei ddysgu yn ysgolion Cymru fel y dylai. Mae wedi serio ar fy nghof fel y clywsom am wrthryfel Owain Glyndŵr yn Ysgol Tŷ Dan Domen y Bala mewn un paragraff byr oedd yn ei ddisgrifio fel pwt o rebel aflwyddiannus. Y gobaith yn awr yw y bydd y Cwricwlwm Cymreig newydd yn sicrhau bod stori ein cenedl a'n pobol ni yn cael ei dysgu i blant y dyfodol.

Ond er bod sawl adroddiad ardderchog wedi annog hynny, mae ein Llywodraeth Lafur yn dal i lusgo'i thraed ar y mater. Dwi'n dweud hyn yn gynnar yn 2021, gan fawr hyderu y bydd rhywun wrth ddarllen y geiriau hyn yn y dyfodol yn medru dweud,

'Wel, o leia, mae hynna wedi newid.'

O feddwl am lofruddiaeth erchyll Victor Jara trwy law milwyr Pinochet yn 1973, fe gofiwn i wledydd Prydain yn yr 80au ddioddef teyrnasiad Magi Thatcher, dynes a ymfalchïai yn ei chyfeillgarwch ag unben creulon Chile. Mae gen i ganeuon i'r ddau – Victor Jara a Thatcher – gan fawr obeithio y bydd cenedlaethau'r dyfodol yn cael clywed y cyfiawn – a'r cyflawn – wir am y ddau.

Yr un modd gydag un arall o arwyr De America – neu Ganolbarth America â bod yn fanwl – sef yr Archesgob Oscar Romero. O deulu tlawd yn El Salvador, dysgodd grefft y saer coed gan ei dad, ond treuliodd y rhan fwyaf o'i oes yn yr eglwys. Roedd El Salvador yn 70au'r ganrif ddiwetha yn wlad o dlodi mawr, gyda dyrnaid o deuluoedd cyfoethog yn berchen ar y rhan fwyaf o'r wlad. Roedd y Llywodraeth filitaraidd yn gormesu trwy drais dychrynllyd, a sefydlodd Oscar Romero wasanaeth radio annibynnol oedd yn gyfrwng i ddweud wrth y werin beth oedd yn digwydd yn y wlad. Serch hynny, credai'r Llywodraeth fod Romero yn ddigon ceidwadol i gael ei benodi'n Archesgob, ac na fyddai'n troi yn eu herbyn.

Fe'i penodwyd yn Archesgob yn 1977, ac o'r cychwyn cyntaf barnodd mai ei ddyletswydd fel Cristion oedd sefyll gyda'r tlodion, a dinoethi polisi treisgar y Llywodraeth. Roedd gwerin bobol El Salvador yn meddwl y byd ohono, ac o edrych yn ôl, efallai ei bod yn anochel y byddai'n cael ei lofruddio gan gefnogwyr y Llywodraeth. A dyna ddigwyddodd yn 1980; fe'i saethwyd yn farw pan oedd yn cynnal offeren awyr-agored yn y brifddinas San Salvador.

Dilynwyd ei farwolaeth gan ddeuddeng mlynedd o ryfel cartref gwaedlyd pryd y lladdwyd tua 70,000 o drigolion y wlad.

Erbyn hyn, mae gan y wlad lywodraeth fwy democrataidd, ac y mae gwaethaf y gormes wedi peidio. Ond erys y tlodi, er bod llawer o'r polisïau a gefnogai Romero bellach yn cael eu gweithredu.

Mae enw Oscar Romero yn cael ei ddyrchafu yn El Salvador, a thrwy'r byd gan yr Eglwys Gatholig. Yn 2018, wedi ymgyrch fyd-eang, cwblhawyd y broses o wneud Oscar Romero yn sant gan y Pab Francis, a chyfrifir ei farwolaeth yn 1980 yn ferthyrdod. Yn ystod yr ymgyrch, clywodd rhai o'r trefnwyr am y gân yr oeddwn wedi ei chyfansoddi, a gofynnwyd am fy nghaniatâd i'w defnyddio fel rhan o'r ymgyrch, a chyfieithwyd hi i sawl iaith.

Ni chofiaf yn iawn ymhle y clywais am fywyd a gwaith a marwolaeth Oscar Romero. Ond yr hyn a wnaeth yr argraff fwyaf arnaf oedd darllen am un o'i ddatganiadau olaf, a wnaeth ychydig ddyddiau cyn ei lofruddiaeth, sy'n cynnwys y geiriau canlynol – geiriau sy'n awgrymu'n gryf ei fod yn rhagweld ei dynged:

'Boed y gwaed y byddaf fi'n ei golli yn hau hadau eich rhyddid chi, bobol El Salvador, a boed i'r hyn yr wyf fi yn gobeithio amdano ddod yn ffaith yn eich bywydau chi.'

Y geiriau rhyfeddol hynny a sbardunodd y gân; yn wir, wedi clywed y geiriau, roedd y gân yn ei chyfansoddi ei hun.

Mae dau achlysur o ganu'r gân yn dod i'r cof. Roedd y cyntaf yn achlysur eithaf hanesyddol, ac er mawr gywilydd imi, ni allaf gofio yr union ddyddiad. Ond gwahoddiad ges i gan Siw Roberts, Pwllheli, un o selogion y Catholigion yng Ngwynedd, i gymryd rhan mewn gwasanaeth arbennig yng Nghadeirlan Westminster, Llundain, i ddathlu bywyd y merthyr a'r sant o Drawsfynydd, John Roberts. Roedd y gwasanaeth yn nodedig am ei fod yn ddwyieithog a chyd-enwadol, gydag anerchiadau gan yr Archesgob Catholig ac Archesgob Caergaint, Rowan Williams. Ac ynghanol yr 'Archiaid' i gyd roedd un pregethwr lleyg o Ros-bach yn canu ei gân i Oscar Romero, yn sefyll mewn pwlpud bach ar un o furiau ochr y Gadeirlan ysblennydd. Roedd yn brofiad arbennig, ac yn gofiadwy hefyd am i griw ohonom ni'r Cymry wneud cyfiawnder â seler win y Gadeirlan yn y festri yn dilyn y gwasanaeth. Dwn i ddim beth fyddai John Roberts wedi ei wneud o'r achlysur, ond roedd y gwin yn ddihysbydd.

Digwyddodd yr ail achlysur pan oedd y Band a minnau ar daith yng Ngogledd America yn Awst 1997. Roedd un o'r cyngherddau mewn gwesty ym Milwaukee adeg Gŵyl Cymry Gogledd America. Ond nid Cymry oedd mwyafrif y gynulleidfa y noson honno. Roedd y stafell fawr yn y gwesty yn dywyll braidd, a chan fy mod yn canu yn Gymraeg, doedd hi ddim yn hawdd mesur ymateb y gynulleidfa. Ond o leia doedd neb yn gadael!

Croesodd fy meddwl ynghanol y noson y byddai 'Oscar Romero' yn addas, ac fe'i canwyd, fel y cofiaf, gyda chryn deimlad. Ac ar ddiwedd y gân, daeth gŵr byr o gorff a thywyll ei bryd ataf yn foddfa o ddagrau, a diolch imi o waelod ei galon mewn Saesneg carbwl. Wedi deall, roedd wedi gorfod dianc o El Salvador i osgoi cael ei ladd gan gangiau llofruddio'r Llywodraeth, ac wedi colli'r rhan fwyaf o'i deulu yn y lladdfa.

Cymraeg neu beidio, roedd wedi deall neges y gân, ac mor falch fod dieithriaid fel ni yn canu clod ei arwr mawr.

15.

Baled y 'Welsh Not'

Aeth bachgen bach o'i gartref llwm
Un dydd o haf hyd lôn y cwm
Lawr i'r ysgol yn y Llan
'Rôl dweud ffarwel wrth ei dad a'i fam.

Yr iaith Gymraeg oedd ei unig iaith
A hon siaradai ar ei daith,
Fe wyddai enwau'r blodau bach,
Roedd yn blentyn yr haul a'r awyr iach.

Canai hwiangerddi ei wlad
A ddysgodd gan ei fam a'i dad,
Adnodau fyrdd oedd ar ei go
O'r Beibl Mawr nad oedd byth dan glo.

Ond seiniau'r gloch draw yn y Llan
A alwai arno ef i'r fan,
A phan gaeodd drws yr ysgol fach
Caewyd allan yr haul a'r awyr iach.

'No Welsh in here' oedd geiriau'r sgŵl
A dicter brad yn ei lygaid pŵl,
Ond ni ddeallai'r bachgen bach
A anwyd i'r haul a'r awyr iach.

Dylifai'r geiriau Saesneg bras
O enau rhwth y sgwlyn cas,
A gofyn wnaeth y bachgen bach:
'Ga'i fynd i'r haul a'r awyr iach?'

Edrychodd pawb wrth glywed hyn
Ar ei wyneb llwyd yn un dyrfa syn,
'He spoke in Welsh!' meddai'r llais o draw,
Trywanwyd ei fron gan ergyd braw!

Fe'i llusgwyd ef hyd y llawr fel sach,
Plentyn yr haul a'r awyr iach,
Gerfydd ei wallt fe godwyd ei ben
Ac am ei wddf crogwyd darn o bren.

Roedd dwy lythyren ar y pren:
Llythrennau'r Sais, sef *'W.N.'*
Yn crogi am wddf y bachgen bach
A anwyd i'r haul a'r awyr iach.

Hanes na ddylem fyth ei anghofio – nid er mwyn dial,
ond er mwyn deall ein cenedl yn well.

Ar derfyn dydd fe'i curwyd ef,
A chlywyd gwae ei grïo ef
Yn atsain o amgylch y bwthyn bach
Rhwng creigiau'r haul a'r awyr iach.

Mae'r plentyn bach yn awr mewn hedd
Yn huno mewn tragwyddol fedd,
Ond mae'r darn o bren a'r llythrennau du
Yn crogi am wddf dy blentyn di.

Pan symudais i fyw gyda'r teulu o Frynaman i Lanuwchllyn yn 1955, y prif beth a wyddwn am fy nghartref newydd oedd mai yno yr oedd O.M. Edwards wedi ei eni a'i fagu. A rhaid bod y gwron hwnnw yn dipyn o arwr imi, er na allaf fod yn siŵr erbyn hyn sut roeddwn wedi clywed amdano.

Mae'n siŵr fod fy rhieni wedi sôn rhywfaint, ac mae'n bosib fod ei enw wedi codi yn yr Ysgol Sul neu'r 'Band of Hope'. Ac mae'n fwy na thebyg fy mod wedi darllen rhywfaint o'i atgofion: *Clych Atgof*, efallai. A'r prif beth a wnaeth argraff arnaf oedd hanes y 'Welsh Not'. Ac o'r pellter hwn, mi af mor bell â dweud mai'r hanes hwnnw oedd un o'r pethau a'm gwnaeth yn genedlaetholwr digymrodedd. Roedd meddwl am y bachgen bach hwn yn cael ei gosbi am siarad ei iaith ei hun, ac yn gorfod cario pren am ei wddf fel arwydd o gywilydd, yn fy mrifo i'r byw.

Tipyn o siom felly oedd sylweddoli nad oedd O.M. yn arwr i bawb yn Llanuwchllyn. Yn wir, roedd rhai o'r straeon a gâi eu dweud amdano yn y Llan yn bur ddilornus. Ac yr oedd pawb yn gwybod fod ei wraig wedi lladd ei hun am nad oedd o byth adre gyda'i deulu.

Roedd sawl rheswm dros yr agwedd hon tuag at O.M. mae'n siŵr. Yn y lle cyntaf, mae tuedd anffodus ynom ni'r Cymry i ddilorni enwogion yn eu bro eu hunain. Gwelais yr un peth yn achos Kate Roberts yn Rhosgadfan, D.J. Williams yn Llansawel,

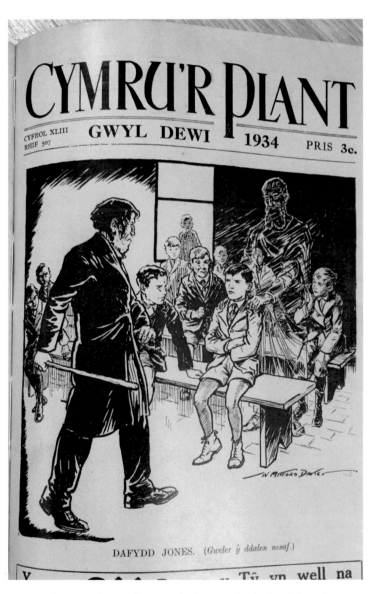

DAFYDD JONES. *(Gweler y ddalen nesaf.)*

Clawr Cymru'r Plant *yn darlunio cyfnod y 'Welsh Not'*

a T.H. Parry-Williams yn Rhyd-ddu. Ac yn ail, cofier bod teulu go helaeth gan wraig O.M. yn Llanuwchllyn, a bod yna rwydwaith go glòs o berthynas teuluol yn nodweddu'r ardal.

Daeth y cyfan hyn yn fyw iawn imi'n ddiweddar wrth ddarllen cofiant ardderchog Hazel Walford Davies i O.M. Edwards. Mae hwn yn gofiant manwl-ddiddorol sy'n portreadu'r dyn mawr yn ei gryfderau a'i wendidau. Ac yr oedd digon o'r ddeubeth yn perthyn iddo i'w wneud yn destun hynod o ddifyr. A'r argraff sydd wedi aros gyda mi wedi darllen y llyfr yw o ddyn sy'n llawn paradocsau: y Cymro pybyr oedd yn Brydeiniwr rhonc; y gŵr a fawrygai fyd natur a gwerin cefn gwlad ond a ddewisodd dreulio'r rhan helaethaf o'i oes mewn dinas yn Lloegr; y dyn a wnaeth gymaint i boblogeiddio ysgrifennu a darllen Cymraeg oedd yn dewis ysgrifennu at lawer o'i gyd-Gymry – gan gynnwys aelodau o'i deulu agos – yn Saesneg; y gŵr a welai ei hun ar adegau fel cenedlaetholwr Cymreig ond a fawrygai'r Ymerodraeth Brydeinig, a'r pregethwr ymroddedig a gefnogai ymgyrch Lloyd George i listio ieuenctid Cymru i ryfela. Gellid amlhau enghreifftiau lu o'r paradocsau hyn yn ei fywyd personol a theuluol, ond erys y ffaith fod O.M. wedi gweithio'n galed – nes peryglu ei iechyd droeon – i hyrwyddo cyhoeddi a darllen ymhlith y werin Gymraeg, ac i boblogeiddio dysgu am hanes a llenyddiaeth Gymraeg. Un o fawrion ein cenedl yn ddi-os, er gwaethaf ei ffaeleddau amlwg.

Un peth sy'n cael ei amlygu yn y cofiant yw hoffter O.M. o fyd natur, a'i wybodaeth fanwl, yn enwedig o enwau Cymraeg y blodau a'r adar a welsai o gwmpas ei gartref yng Nghoed-y-pry a Chaerhys yn Llanuwchllyn.

Pan gyfansoddais y gân 'Baled y Welsh Not' rywbryd yn niwedd y 70au mae'n siŵr mai fersiwn O.M. o'r hanes oedd yng nghefn fy meddwl. Ac o ddarllen mor hoff oedd yr awdur o fyd natur, mae'n debyg iawn mai'r bachgen bach o Goed-y-pry yw'r bachgen bach yn y faled. Rhaid bod yr agwedd hon o'i bersonoliaeth wedi gwneud argraff arnaf wrth ddarllen ei lyfrau flynyddoedd ynghynt. Mae baled am wn i yn rhoi trwydded i rywun i or-ddramateiddio ac i or-sentimentaleiddio rhyw gymaint, ac mi fanteisiais i'r eithaf ar y drwydded honno.

Cofiaf i Gruff Rhys (o'r Super Furry Animals) ddweud rhywbryd nad oedd yn rhy hoff o 'nghaneuon am eu bod yn 'rhy sentimental'; rhaid bod ei fam wedi ei orfodi i wrando ar 'Faled y Welsh Not' pan oedd yn ei glytiau! Ond os ydych am ddweud stori fel hon fel ei bod yn aros ym meddwl trwch y werin, mae drama a sentiment a gor-ddweud yn arfau anhepgor.

Dyma be sy'n dda am ganeuon cyfoes poblogaidd, yn enwedig y rhai Cymraeg. Meddyliwch am eiliad faint o bobol sy wedi clywed am gymeriadau'r Mabinogion am y tro cyntaf drwy ganeuon. Cymeriadau chwedlonol fel Nia Ben Aur ac Osian, lleoedd chwedlonol a dychmygol fel Tir na n-Og a Bryniau Bro Afallon, arwyr hanes Cymru fel Llywelyn a Glyndŵr, saint megis Dewi, Dwynwen a Melangell, ac arwyr gwerinol fel Merched Beca a Dic Penderyn, heb sôn am ddigwyddiadau mwy diweddar megis y Tân yn Llŷn, boddi Cwm Celyn, ac Aberfan.

Mae ein caneuon poblogaidd yn drysorfa gyfoethog iawn o hanes a chwedloniaeth Cymru. A does dim dwywaith eu bod wedi chwarae rhan bwysig yn adfywiad Cymru a'r Gymraeg dros yr hanner canrif ddiwethaf a mwy.

16.

Symudwch y Bobol
(Mae Pres yn y Fforest)

Mae olew dan draed, mae olew dan draed,
Deuthum i'ch achub rhag y baw a'r llaid,
Mae aur yn y bryniau, wraniwm yn y cwm,
Deuthum i'ch achub rhag eich tlodi llwm.

Cytgan:

Mae pres yn y fforest, mae pres yn y graig,
Mae pres yn y mynydd, mae pres yn y llaid,
Symudwch y bobol, er eu lles eu hun,
Symudwch y bobol yn enw'r dyn,
Cam bach i ddynoliaeth, cam mawr i mi
Symudwch y bobol, gwrandewch arnaf fi.

Daeth eich amser i ben, daeth eich amser i ben,
Y fi yw'ch gwaredwr, codwch y llen,
Daeth gwareiddiad o'r diwedd, a golau ddydd,
Cewch weithio am arian, mi fyddwch yn rhydd.

Fe gawson ni'r drwydded, fe gawson ni'r hawl
I sathru'ch treftadaeth, ac i'ch codi o'r cawl,
Roedd eich senedd am arfau, fe'u prynwyd yn rhad,
Am hynny cawn wneud fel y mynnwn â'ch gwlad.

*Mae argae enfawr Ilisu ar afon Tigris wedi gorfodi 70,000 o
Gwrdiaid o'u cartrefi, ac wedi boddi aceri o henebion gwerthfawr.
Yn y llun rwyf yng nghwmni dau o'r Cwrdiaid oedd yn arwain yr
ymgyrch yn erbyn yr argae, ac yn y cefndir mae olion un o bontydd
mwyaf hynafol y byd, safle sydd bellach o dan y dŵr.*

Ar un wedd, hon yw'r gân wleidyddol fwyaf pwerus dwi wedi ei
chyfansoddi, oherwydd ble bynnag yr edrychwn yn y byd, fe
welwn enghreifftiau o filitariaeth a diwydiannu a gwneud elw
yn arwain at symud pobol o'u cynefin. Yng Nghymru mae hanes
torcalonnus troi pobol o'u ffermydd ar fynyddoedd yr Epynt,
a'r un modd yn ardal Trawsfynydd, i wneud lle i'r fyddin
Brydeinig i ymarfer, yn graith na ellir ei dileu yn hawdd. Ac y
mae stori debyg wedi digwydd mewn sawl rhan arall o Gymru.

Ond hanes y cymoedd a foddwyd sy'n dod gyntaf i'r meddwl
– Elan, Llanwddyn, Claerwen, Clywedog, ac wrth gwrs
Tryweryn; gorfodi pobol i adael ffermydd a thyddynnod a fu'n
gartref i'w teuluoedd ers cenedlaethau. Ac yna gweld y cartrefi
hynny, y tir a feithrinwyd ers canrifoedd, y capel a'r ysgol – y
cyfan yn cael eu boddi er mwyn bodloni'r galw am ddŵr yn
Lerpwl neu Birmingham.

Hanes brwydrau dros atal y boddi yn cael eu colli yw'r rhain. Ond peidiwn ag anghofio am frwydrau tebyg a enillwyd, yn arbennig felly frwydr ogoneddus trigolion Cwm Gwendraeth yn y 60au. Gobeithio rhyw ddiwrnod, pan fydd gennym yn y Gymru Rydd ddiwydiant ffilm yn cael ei noddi'n ddigonol, y cawn un ffilm epig i adrodd hanes Tryweryn, ac un arall i gofnodi safiad dewr trigolion y Gwendraeth yn erbyn Corfforaeth a pheirianwyr Abertawe.

Y syndod yw, o edrych ar draws y byd, fel y mae hanesion tebyg yn dod i'r amlwg mewn sawl gwlad. Nid rhywbeth unigryw i Gymru oedd y *Welsh Not*, er enghraifft. Defnyddiwyd dull tebyg yn Llydaw i geisio cael plant bach y wlad honno i beidio siarad Llydaweg. A'r un peth yn union gyda phlant rhai o frodorion gwreiddiol Gogledd America. Mae coloneiddwyr mewn sawl gwlad wedi ceisio difa'r ieithoedd a'r diwylliannau brodorol – a gwnaed hynny yn greulon o effeithiol mewn gwlad fel Awstralia.

Roeddwn yn gwrando unwaith ar lanc ifanc o Galisia, y wlad ar arfordir gogleddol penrhyn Sbaen, yn adrodd hanes y frwydr a fu yno i geisio achub cwm rhag cael ei foddi. Wrth i'r peirianwyr symud i mewn, safodd torf fechan o drigolion lleol mewn llinell i'w rhwystro. Ond roedd hyn yn niwedd teyrnasiad Franco, ac roedd gan y peirianwyr yr hawl i ddefnyddio arfau i amddiffyn eu hunain, a saethwyd llanc lleol yn farw yn y gwrthdaro. Mae galarnad Tryweryn yn gân sydd i'w chlywed ar draws y byd.

I ni yng Nghymru, mae'n siŵr mai enw Tryweryn sydd flaenaf yn ein meddyliau wrth feddwl am bobol yn cael eu symud, tir yn cael ei feddiannu, ac adnoddau Cymru yn cael eu hecsbloetio er lles pobol y tu allan i Gymru. Ond dylem edrych ar Dryweryn fel symbol o rywbeth llawer ehangach, a'i ddefnyddio fel sbardun i newid ein sefyllfa fel cenedl. Ac o edrych ar y byd y tu allan, mae Tryweryn bob amser bellach yn fy atgoffa o argae a chronfa ddŵr a agorwyd yn Nhwrci yn 2020 ar afon Tigris, yn y rhan o Dwrci lle mae'r Cwrdiaid yn byw.

Mae creu argae anferth yr Ilisu wedi gorfodi dros 70,000 o bobol o'u cartrefi, y rhan fwyaf ohonyn nhw yn Gwrdiaid. Ac ar ben hynny fe foddwyd un o safleoedd hanesyddol mwyaf arbennig y bobol hyn sydd wedi eu herlid a'u cam-drin ers cenedlaethau gan sawl gwladwriaeth. Mae'r modd y mae Twrci o dan Erdogan wedi trin y Cwrdiaid yn waradwyddus. Am flynyddoedd gwaharddwyd y miliynau o Gwrdiaid rhag cael addysg yn eu hiaith, a rhag enwi eu plant gydag enw Cwrdaidd.

Gan fod blynyddoedd o ymgyrchu gan gynrychiolwyr etholedig yn methu, mae mudiad arfog wedi codi i amddiffyn hawliau'r Cwrd. Ac am fod America wedi rhestru'r corff hwnnw yn 'derfysgwyr', mae Erdogan yn cymryd fod ganddo hawl i garcharu unrhyw un – aelodau seneddol a meiri etholedig hyd yn oed – sy'n meiddio codi llais dros yr iaith a'r diwylliant Cwrdaidd. Polisi Erdogan yw bod angen i'r Cwrd dderbyn mai Twrc ydyw, ac anghofio'i hunaniaeth Gwrdaidd. Does dim rhyfedd felly bod y mwyafrif Cwrdaidd yn gweld argae Ilisu fel ymgais arall i dorri'r cysylltiad rhyngddyn nhw a'u gwreiddiau a'u hanes.

Pan ymwelais â'r ardal sydd bellach wedi ei boddi rai blynyddoedd yn ôl, gwnaeth yr olion rhyfeddol o wareiddiad hynafol argraff ddofn arna i. Mae dinas Hasnkeyf yn 12,000 o flynyddoedd oed, a chafwyd olion cartrefi yno sy'n dyddio'n ôl i tua 9,500 Cyn Crist. Mae'n wir fod rhai o'r henebion mwyaf pwysig wedi eu codi a'u gosod mewn parc amgueddfaol, a'r bobol a symudwyd wedi cael cartrefi newydd yn y dref a elwir Hasnkeyf Newydd gerllaw. Ond mae adeiladwaith y cartrefi newydd yn ddiffygiol, a'r safle'n gwbl ddigymeriad o gymharu â'r ddinas hanesyddol a foddwyd. Torrwyd y llinyn cysylltiol â'u gorffennol, ac amddifadwyd cymuned gyfan o Gwrdiaid o'u treftadaeth.

Ond i ddychwelyd at y gân, fe welir mai sôn ydw i'n bennaf am y cloddwyr mwynau sy'n chwalu cymunedau ar draws y byd er mwyn elw. Mae gennym ni yng Nghymru wrth gwrs ddigon o brofiad o hyn, gyda'r diwydiannau glo, llechi, copr a phob math o fwynau eraill. Daeth hynny i ben fwy neu lai yma wrth i'r cyflenwadau orffen, neu wrth i'r galw beidio ac i'r farchnad ddisgyn. Ond mae'r ecsbloetio yn parhau mewn sawl gwlad, a phobol ddiniwed a diamddiffyn sy'n diodde waetha bob tro.

Yr ecsbloetiwr sy'n llefaru yn y gân, yn gwamalu rhwng bygythiadau bostfawr ac addewidion o gyfoeth a bendithion i'r brodorion druain. A pho fwyaf gwerthfawr yw'r hyn y cloddir amdano, mwyaf yw'r gormesu ar y gwan, a'r caledi a ddioddefir gan y gweithiwr. Ac o feddwl fod y galw am rai o'r mwynau mwyaf gwerthfawr yn codi am eu bod yn anhepgor i gynhyrchu arfau niwcliar, mae'r camwri yn ganwaith gwaeth.

Ac efallai mai'r achos mwyaf arwyddocaol a thrist o bobol yn cael eu hamddifadu o'u cynefin y dyddiau hyn yw'r hyn sy'n digwydd yn yr Amazon, y goedwig drofannol a ddisgrifiwyd fel 'ysgyfaint y byd', a'r goedwig sy'n ein cynnal ninnau. Gan fod tir di-goed yn werth mwy mewn arian na choedwig, mae'r fforestydd hyn yn cael eu clirio a'u llosgi ar raddfa enfawr.

Tua'r un adeg ag yr oedd pobol yn dechrau byw yn ardal argae Ilisu, roedd pobol yn gwneud yr un modd yn yr Amazon. Cred arbenigwyr bod tua 5 miliwn o bobol yn byw yno o gwmpas y flwyddyn 1500. Ond erbyn hyn mae'r nifer o dan 200,000. Er gwaethaf sawl ymgyrch i'w gwarchod, mae'r goedwig yn parhau i gael ei difa ar raddfa anferthol, yn bennaf i gael tir i dyfu soya ac am fod olew wedi ei ddarganfod yno. Ac y mae brwydr yr ychydig frodorion sydd ar ôl i warchod eu tiroedd yn parhau.

Eu brwydr nhw yw ein brwydr ninnau; yn wir, yn achos yr Amazon, gellir mynd mor bell â dweud bod hon yn frwydr i achub y ddynoliaeth gyfan.

17.
Draw, Draw Ymhell

(Alaw Frank Hennessy)

Aeth lawr i'r pwll yn bedair mlwydd ar ddeg,
Ond erbyn hyn ni allai odde mwy,
Fe geisiodd godi'r teulu bach trwy deg,
Ond gwelai'r golau'n pylu yn eu llygaid hwy.
Fe werthodd bopeth er mwyn gwneud y daith,
A chloeodd ddrws y tŷ lle'i ganwyd e,
Gadael bro a gadael gwŷr y graith
A mynd ar long un dydd o Tiger Bay.

A hwyliodd draw, draw ymhell
I wlad sydd well,
Hwylio'r nos a'r dydd
I fod yn rhydd, rhydd, rhydd.

Fe gafodd waith yn nhre Toronto draw
A chafodd le i'r teulu bach dan do,
Ond wrth lafurio yn y gwres a'r baw
Hiraethai am ei ffrindie'n yr hen bwll glo.
A rhaid oedd codi pac y teulu bach
A bwrw draw i'r wlad tu hwnt i'r paith,
Eu byd i gyd mewn pecyn a dwy sach,
A'r freuddwyd nawr yn marw ar y daith.

A chrwydro draw, draw ymhell
I wlad sydd well,
Crwydro'r nos a'r dydd
I fod yn rhydd, rhydd, rhydd.

Mae gen i deimladau cymysg iawn am yr Unol Daleithiau,
ond y mae'r cyswllt â Chymru yn un na allwn ei wadu,
a'r cyswllt â Phatagonia yn un o ryfeddodau ein hanes.
Yn y llun, gwelir y 'parti croeso' a gafodd Hefin a finnau
yn America yn 1979, gydag adlais tafod-yn-y-boch o'r ymgyrch
arwyddion ffyrdd.

Addasiad yw hon o gân o waith Frank Hennessy, 'Tiger Bay'. Rwy'n hoff iawn o ganeuon Frank, ac y mae ei ddawn i gyfleu stori yn ddawn arbennig iawn. Yn hon mae'n adrodd stori drist teulu a adawodd Gymru oherwydd tlodi i chwilio am fywyd newydd yng Ngogledd America.

Fel un o dras Wyddelig, mae Frank wrth gwrs yn ymwybodol iawn o'r miliynau a adawodd Iwerddon am America. Ond y mae'n hanes sydd yr un mor gyffredin i ni yma yng Nghymru, os ar raddfa lai. Mae'n anodd iawn i ni amgyffred faint o fenter oedd cefnu ar Gymru a hwylio i America mewn cyfnod lle'r oedd croesi'r Iwerydd yn fenter beryglus ynddi'i hun, a heb sicrwydd pa fath o fywyd oedd yn eu disgwyl yr ochr draw.

Mae'n stori a gafodd ei hailadrodd filoedd o weithiau. A rhaid bod caledi bywyd yng Nghymru a'r ysfa am gychwyn bywyd newydd mewn gwlad ddiarth yn ddwy ffactor hynod o gryf i yrru'r ymfudwyr i fentro i'r fath raddau. Mae Frank yn dangos nad oedd y fenter yn llwyddiannus bob tro, neu o leiaf bod sawl teulu a adawodd Gymru ac Iwerddon am America wedi wynebu caledi yno hefyd cyn iddyn nhw gyrraedd y 'man gwyn man draw'.

Mi ges i sawl cyfle i fynd i America (De a Gogledd) dros y blynyddoedd, a theimladau cymysg sydd gen i am y ddau gyfandir. Mae'r cyswllt gyda Phatagonia wrth gwrs yn un arbennig iawn. Ond rhaid cofio bod sawl ymgais wedi bod ar gyfandir Gogledd America hefyd i sefydlu ffurf ar wladfa Gymreig, neu Gymraeg.

Mae'n ddiddorol ceisio dyfalu sut mae'r Gymraeg wedi para cystal ym Mhatagonia, ac wedi diflannu i bob pwrpas yn yr Unol Daleithiau. Un ffactor yn sicr yw fod y Cymry wedi cymhathu yn gynt yn y gogledd am mai'r Saesneg yw'r brif iaith yno. Ond ym Mhatagonia dylem gofio bod yna gynllun clir o'r dechrau i sefydlu cymuned lle byddai'r Gymraeg yn brif iaith addysg, crefydd a gweinyddiaeth. Ac am gyfnod llwyddwyd i wneud hynny.

Mae gen i gryn amheuon ynglŷn â'r freuddwyd wreiddiol i sefydlu gwladfa Gymraeg ar dir gwlad arall. Ac er pob awgrym fod y berthynas rhwng y Cymry a'r Indiaid brodorol yn dda ar y cyfan, does dim gwadu'r ffaith mai cymryd eu tir traddodiadol oddi wrth y brodorion wnaeth y gwladfawyr, gyda chymorth y Llywodraeth Sbaenaidd.

Ond wedi dweud hynny, does gen i ddim ond geiriau cadarnhaol am y croeso a gawsom ym Mhatagonia, a'r ymroddiad amlwg i sicrhau parhad yr iaith a'r traddodiad Cymraeg yno. Roedd canu yno yn brofiad afreal a gwefreiddiol yr un pryd, ac anghofiaf i byth y wefr arbennig o ganu 'Yma o

Hyd' yn y Gaiman i gynulleidfa orlawn, gyda'r arwyddocâd dwbl i eiriau'r gân yn tynnu dagrau lawer.

Y cof arall sy'n aros gyda mi yw geiriau Edith, chwaer Elvey Macdonald, un prynhawn distaw, teimladwy, sef mai dyhead mawr ei chalon, er cymaint o feddwl oedd ganddi o'r Gaiman a Phatagonia, fyddai i bawb o'r Cymry allu dychwelyd i fyw i Gymru. Fe wyddai mai dyhead ofer ydoedd, ond eto gallwn ddeall ei theimladau yn iawn.

Yn 1979 yr es i Ogledd America gynta, yn fuan wedi trychineb y refferendwm cyntaf ar ddatganoli. Roedd Hefin Elis a minnau yn annerch neu'n perfformio i nifer o gymdeithasau Cymreig a phrifysgolion yn y taleithiau dwyreiniol, yn ogystal ag yng Ngŵyl Cymry Gogledd America. A'r anhawster mwyaf a gawsom oedd ceisio egluro pam y byddai mwyafrif helaeth poblogaeth unrhyw wlad yn pleidleisio yn erbyn cael mwy o bwerau dros fywyd eu gwlad eu hun – a hynny wrth gwrs mewn gwlad lle mae gan bob talaith senedd â phwerau deddfu.

Roedd ein cywilydd dros agwedd ein cyd-Gymry yn cynyddu gyda phob cyfarfod! Ond at ei gilydd, casgliad cymysgryw yw Cymry Gogledd America. Ar wahân i'r rhai a ymfudodd yn gymharol ddiweddar, mae syniadau'r mwyafrif yn sownd mewn rhyw oes yn y gorffennol. Eu Cymru nhw yw'r Gymru yr ymfudodd eu cyndeidiau a neiniau ohoni. Cymru'r pyllau glo a'r chwareli a'r tyddynnod a'r caledi, y capeli a'r diweithdra, y Gymanfa a'r dôl. Ac un peth a'n trawodd yn glir iawn – roedd 'South Wales' a 'North Wales' yn ddwy wlad hollol wahanol!

Roeddem yn aros fel rheol yng nghartrefi'r Cymry, a daethom adref un noson a gweld y gŵr ifanc oedd wedi'n croesawu (darlithydd coleg) a'i lygaid wedi'u hoelio ar y sgrin deledu. Bu wrthi'n egluro'r sefyllfa – rhyw fath o warchae arfog ar dŷ – gan ddangos lle'r oedd y plismyn yn cuddio ac ati, a buom yn gwylio hyn am gryn hanner awr heb wybod oedden ni'n gwylio ffilm ai peidio. Yn y diwedd dyma sylweddoli mai darllediad byw ar sianel newyddion oedd y cyfan.

I mi, mae'r cymysgu hwnnw rhwng realiti a ffuglen yn un o

nodweddion mwyaf rhyfeddol diwylliant yr UDA. Daeth hyn i uchafbwynt, wrth gwrs, gyda theyrnasiad echrydus Donald Trump, a gredai'n gydwybodol y gallai greu rhyw fath o realaeth amgen i'w siwtio fo'i hun. A fedrwn ni byth lawn ddeall cyfnod Trump heb sylweddoli fod hedyn y drwg eisoes wedi'i blannu yn niwylliant y wlad ddifyr, dalentog a rhyfedd hon.

Daeth y Band gyda mi ar un ymweliad – i berfformio yng Ngŵyl Geltaidd Louisiana, ac yn y Clwb Celtaidd yn New Orleans lle bu'r diweddar Robin James Jones yn delynor preswyl am rai blynyddoedd. Bu Robin a'i gyn-wraig Barbara yn garedig iawn wrthym, yn ein tywys o gwmpas ardal oedd yn orlawn o gerddoriaeth gynhyrfus, o draddodiad byw, o fwydydd difyr ac o bobol gyfeillgar. Ond ni fedrai un aelod o'r Band ddygymod o gwbwl â dieithrwch gwlad dramor; cadwodd ei watsh ar amser Cymru gydol ein harhosiad, a threuliodd oriau ar y ffôn gyda'i gariad pan nad oedd yn cysgu â'i ben dan y dillad.

Roedd y cyfan wedi dechrau yn y maes awyr, pan benderfynodd swyddogion y tollau ein bod – fel band roc-a-rôl go iawn – yn bownd o fod yn cario cyffuriau. Gosodwyd y cŵn-arogli-cyffuriau ar ein sodlau, ac archwiliwyd pob bag a chês gitâr yn fanwl nes oedd ein dillad ar chwâl ymhob man. Ac wrth iddi ddod yn amlwg nad oedd ganddon ni gyffuriau, roedd tymer y swyddogion anghynnes yn gwaethygu, ac amheuwyd dilysrwydd ein *visas*. Ac yn goron ar y cyfan bygythiwyd anfon yr aelod nerfus adre ar ei union am iddo fanteisio'n ormodol ar win rhad yr awyren. Pan glywais Johnson a'i debyg yn ystod dadl Brexit yn addo na fyddai cerddorion yn cael unrhyw anhawster i deithio i gyfandir Ewrop i weithio wedi Brexit, ac y byddai 'yn union yr un fath â theithio i America ar hyn o bryd', mae'n rhaid imi gyfaddef imi wenu!

Roeddwn wedi cael profiad o ffyrnigrwydd swyddogion Americanaidd ar ymweliad arall rai blynyddoedd ynghynt. Gan fy mod yng nghyffiniau Efrog Newydd a hanner diwrnod yn rhydd, penderfynais anelu am yr enwog 'Statue of Liberty', a chyrraedd yn agos iawn i'r amser pan oedd ymweliadau yn cau. Gan fod cymaint o waith dringo y tu mewn i'r adeilad, roedd llinell hir ohonom ar y grisiau yn symud yn araf gyda dau filwr arfog yn gwarchod ein cefnau ar y gwaelod. Yn sydyn, rhedodd dau ymwelydd ar ras wyllt, a hithau'n funud wedi'r amser cau. Safodd y milwyr â'u gynnau yn barod i'w rhwystro ac i'w hanfon yn ôl. Ceisiodd y ddau egluro eu bod ar eu hymweliad cyntaf ag America, o un o wledydd y Dwyrain Canol, a'u bod yn dychwelyd adre drannoeth. Roedd y siom ar eu hwynebau yn amlwg ddigon – bron nad oedden nhw yn eu dagrau. Ond doedd dim yn tycio. Cododd y milwyr eu lleisiau a'u gynnau a gorchymyn i'r ddau adael y lle. Roedd eu hymddygiad mor fygythiol fel imi fethu dal rhag gweiddi arnyn nhw,

'Let them come, after all it's called the Statue of Liberty.'

Os do fe! Trodd un o'r milwyr ei wn tuag ata i a dweud wrtha i am gau fy ngheg. Ac ymaith â'r ddau ymwelydd druan yn crynu mewn cymysgedd o ddychryn a siomedigaeth.

Ond efallai mai'r profiad mwyaf cofiadwy a gefais yng Ngwlad y Pethau Mawr oedd hwnnw yn Efrog Newydd yn 2001. Roeddwn yn ffilmio cyfres yn yr UDA yn adrodd hanes y Cymry a wnaeth eu marc yn y wlad, ac am orffen drwy gyfeirio at y syniad bod America yn enwog am wneud popeth ar raddfa fawr, a hynny fel cyflwyniad i gân ar y thema honno.

Penderfynodd Hefin Elis, y cynhyrchydd, mai addas fyddai recordio'r linc wrth draed y ddau dŵr anferth a elwid yn 'Trade Center'. Bûm yn disgwyl y criw ffilmio am gryn hanner awr wrth un o'r mynedfeydd, a gwylio'r mynd-a-dod di-baid, a dychmygu sut brofiad oedd gweithio yn y fath gwch gwenyn o brysurdeb. Yna cael ein hebrwng yn y lifft i ben y tŵr i recordio rhagor o gyflwyniadau yn y fan honno. Ond yn anffodus roedd gormod o wifrau electronig yno, a rheiny'n amharu ar y sain, a threfnwyd i ni ddychwelyd yno drannoeth. Cawsom gymorth parod gan un o'r staff i ymweld eto drannoeth, a'r tro hwn llwyddwyd i gael recordiad glân, a thynnu lluniau ysgubol o'r ddinas o'r fath safle.

Roedd hynny ar y dydd Sadwrn, ac roeddem yn dychwelyd i Gymru drannoeth. Ar y dydd Mawrth roeddwn wrthi'n sôn wrth rai o 'nghydweithwyr yn Sain sut brofiad oedd bod ar ben y tyrau rhyfeddol yma pan ddangoswyd y lluniau brawychus ar y teledu o'r awyrennau yn gyrru i mewn i'r ddau dŵr. Alla i ddim disgrifio'n iawn sut brofiad oedd hwnnw, gan wybod bod cannoedd o'r bobol y bûm yn eu gwylio chydig ddyddiau ynghynt, a rhai o'r bobol a fu'n ein helpu ar y Sadwrn hwnnw, wedi trengi yn y gyflafan. Ac fel y mae'r dywediad yn mynd, fu'r byd fyth yr un fath wedyn.

18.

Hawl i Fyw

Rwyt ti'n edrych ar fy llun mewn cydymdeimlad,
Rwyt ti'n gofyn pam mae hyn yn gorfod bod,
Rwyt ti'n colli ambell ddeigryn o dosturi
Ac rwyf finnau'n ofni gweld yfory'n dod.

Cytgan:

Ond fe'm ganwyd innau'n fab i fy rhieni,
Ac mi glywais ddweud fod pawb yn blant i Dduw,
Rwy'n frawd i ti, a thithau'n frawd i minnau,
O pam na chaf fi hefyd hawl i fyw?

Do, mi welais y gwleidyddion yn mynd heibio
A phob un yn ysgwyd pen mor ddoeth, mor ddwys,
Ac mi welais yr offeiriad yn penlinio
Cyn fy mhasio, am nad wyf fi'n neb o bwys.

Fe fûm i'n chwarae unwaith gyda'm ffrindie,
Ond fe'u gwelais nhw yn mynd o un i un,
Mi gollais fy nhad un nos, a mam un bore,
A'm gadael innau ar fy mhen fy hun.

Ond mi glywais rai yn sôn am fynydd menyn,
Ac mi glywais rai yn sôn am lynnoedd llaeth,
Ond mi wn na fyddech chi sy'n Gristionogion
Yn caniatau gwastraffu bwyd a maeth.

Y gwragedd yn cario'r pridd i adeiladu'r argae yn Tigrai, argae i ddyfrhau'r tir ar gyfer cnydau'r dyfodol.

Y trigolion yn adeiladu'r argae i ddyfrhau'r cnydau.

Un o'r ffynhonnau newydd gan Gymorth Cristnogol a REST.

Cario dŵr glân o'r ffynnon.

Cyfansoddais hon yn y car ar fy ffordd i gyngerdd yn Neuadd Dewi Sant yng Nghaerdydd. Cyngerdd ydoedd i godi arian i gronfa newyn Ethiopia ynghanol yr 80au, a'r artistiaid i gyd yn rhoi eu gwasanaeth am ddim at yr achos. Roeddem i gyd wedi cael ein hysgwyd i'r byw ychydig ynghynt gan y lluniau teledu enwog o'r dioddefaint aruthrol yn Ethiopia yn dilyn y sychdwr mawr, a'r llun na fedrwn ei gael o fy meddwl oedd un o wyneb y bachgen hwnnw yn edrych i fyw llygad y camera, a'i lygaid hardd yn fawr gan effeithiau'r newyn, yn ymbil am help.

Y syniad sy'n sail i'r gân yw fod y bachgen hwnnw yn siarad â ni, wedi i'r camera ei adael fel petae; mae'r camera teledu wedi mynd, a'r llun wedi diflannu o'n sgrin deledu, ond mae'r bachgen yno o hyd, ynghanol y newyn diddarfod. Ac y mae'n gofyn i ni pam na chaiff yntau yr hawl i fyw.

Wrth ganu'r gân hon ers ei chyfansoddi ynghanol yr 80au, byddaf yn fwriadol dawelu'r dorf a chyfeirio at ryw gyflafan sydd newydd ddigwydd, a phlant rhyw wlad arall yn diodde, ac yn marw – mewn llifogydd neu swnami, rhyfel neu newyn, corwynt neu ddamwain neu ymosodiad erchyll. Does dim diwedd ar y dioddefaint, ac ar un ystyr, mae newyn Ethiopia yn parhau, a'r bachgen bach yn dal i ymbil arnom. A'r hyn sy'n gwneud y sefyllfa'n waeth yn aml yw fod llawer o'r dioddefaint yn rhywbeth y mae gennym ni ran yn ei achosi – naill ai oherwydd cynhesu byd-eang neu oherwydd ein cefnogaeth i wlad fel Saudi Arabia sydd y tu ôl i ryfel creulon yr Yemen. Unig bwrpas cân fel hon yw i geisio atgoffa'n hunain y gallwn ni wneud rhywbeth i newid pethau, ac i leihau'r dioddefaint. Ac un atgof sydd gen i o lawer o nosweithiau gyda'r Band yn ystod y 90au a dechrau'r ganrif hon oedd gweld pobol ifanc yn y gynulleidfa yn cydio dwylo, ffurfio rhes hir o flaen y llwyfan, ac yn ymuno i ganu caneuon fel 'Hawl i Fyw' gydag arddeliad.

Rai blynyddoedd ar ôl cyfansoddi'r gân, cefais wahoddiad gan Wendy Williams i wneud rhaglen ar waith y mudiadau dyngarol yn Ethiopia – rhaglen a gyflwynwyd ar y cyd gan Judith Humphreys a minnau. Roedd yn brofiad bythgofiadwy.

Doedd effeithiau'r newyn mawr ddim wedi diflannu o bell ffordd, ac yr oedd y wlad yn dal i ddiodde o ddiffyg glawogydd. Ond nid gwlad drist a welsom, ond gwlad o bobol lawen yn dygnu arni ynghanol eu tlodi i godi'r wlad yn ei hôl. Mae'n wir fod mudiad fel Water Aid yn gwneud gwahaniaeth mawr drwy godi ffynhonnau mecanyddol ym mhob pentre i dynnu dŵr glân o grombil y ddaear i arbed taith hir i'r gwragedd a'r plant a gariai'r dŵr am filltiroedd o afonydd budr, a bod Cymorth Cristnogol a'u partneriaid yn gwneud cyfraniad mawr hefyd. Ond yr hyn a welsom yn bennaf oedd y trigolion eu hunain yn gweithio'n ddiarbed i dyfu cnydau a gwarchod eu hanifeiliaid prin. Ac efallai mai'r olygfa fwyaf arwyddocaol a chofiadwy oedd gweld miloedd o'r trigolion yn cario pridd a cherrig mewn sachau ar eu cefnau i adeiladu argae enfawr – argae a fyddai'n fodd i ddyfrhau aceri lawer o dir ar gyfer tyfu llysiau. A'r olygfa gofiadwy arall oedd gweld y trigolion, 'oll yn eu gynau gwynion', yn treiglo o'u cartrefi i lawr y llechweddau i addoli; roedd eu ffydd Gristnogol yn amlwg yn eu cynnal er gwaetha'r tlodi. 'Tri pheth ddylech chi fod yn barod i farw drostyn nhw,' meddai gyrrwr tacsi wrtha i un diwrnod: 'eich teulu, eich gwlad, a'ch Duw'.

Mae gen i un atgof arall y mae'n rhaid imi ei grybwyll, er imi sôn amdano droeon wrth gyflwyno'r gân ar y llwyfannau, ond y mae'n un o'r digwyddiadau hynny sy'n gwrthod mynd o'r cof. Pan oeddem wrthi'n ffilmio'r rhaglen deledu, roeddwn wedi mynd ag ambell i gasét gyda mi, ac wedi rhoi yr un oedd yn cynnwys 'Hawl i Fyw' i'r gŵr a'n gyrrai ni o amgylch y wlad mewn cerbyd gyriant pedair olwyn, gan fod y tirwedd mor arw a'r ffyrdd yn brin. Yn wir, roedd y gyrrwr, Ethiopiad llawen ond distaw, wedi dod i hoffi'r caneuon, ac yn mynnu eu chwarae drwy'r amser. Pan oedd gweddill y criw wrthi'n ffilmio un o'r ffynhonnau newydd, eisteddwn yng nghefn y cerbyd, y drysau ar agor am ei bod mor boeth, a'r casét yn diasbedain drwy'r crastir. Yn sydyn, be welwn i ond bachgen ifanc yn cario pecyn o lyfrau ar ei ffordd i'r ysgol; doedd pob plentyn ddim yn cael

Ysgol Ddawns 'Plant y Stryd' yn Addis Ababa;
ces y fraint o adael fy ngitâr iddyn nhw.

Wynebau llawen, er gwaetha'r tlodi mawr,
yn y 'dre sianti' yn y brifddinas.

Mikele: y gofeb i'r newyn a'r orymdaith fawr i'r Swdan, ond y mae rhyfel gwaedlyd arall yn ardal Tigrai erbyn hyn.

Judith a fi'n cyfarfod rhai o'r plant ar eu ffordd adref o'r ysgol (eu cartref yw'r cytiau gwellt yn y cefndir pell).

addysg, ac yr oedd y rhai ffodus yn gorfod cerdded milltiroedd i'r ysgol. Wrth basio'r cerbyd, safodd y bachgen yn stond a'r eiliad honno dechreuodd y gân oedd yn sôn am fachgen bach o Ethiopia, rai blynyddoedd ynghynt, yn syllu i fyw llygad y camera ynghanol y newyn. Ni welodd y bachgen oedd ar y ffordd i'r ysgol mohonof, ond safodd yno yn gwrando ar y gân – y gân a allai yn hawdd fod yn sôn amdano fo – heb symud llaw na throed. Gwrandawai fel pe bai'n deall pob gair, ac ar ddiwedd y gân, aeth ymlaen ar ei daith. Does gen i ddim cywilydd i gyfadde fod y dagrau yn llifo.

Sawl blwyddyn yn ddiweddarach, cafodd y gân hon adfywiad wrth iddi gael ei hail-recordio gan nifer o gantorion i godi arian at ymgyrch fawr Irfon Williams i gynorthwyo rhai yn diodde o ganser. Er i Irfon golli'r frwydr yn y diwedd, roedd ei ddewrder anhunanol, a chefnogaeth wych ei briod Becky a'u cyfeillion, yn ysbrydoliaeth i bawb ohonom, ac yr oedd hi'n fraint imi eu bod wedi dewis y gân hon i hybu'r achos.

Mynd i'r eglwys yn Lalibela – y groes ar y chwith yw to'r eglwys, wedi ei cherfio'n gyfan o'r graig! Un o ryfeddodau cudd Ethiopia.

Golwg ar uchder – neu ddyfnder – waliau'r eglwys.

19.

Cân y Milwr

Mi fues i'n cwffio dros 'y ngwlad,
roedd gen i lot o ffrindie yn y frigâd,
Mi golles fy mêt wrth gerdded y stryd
– yr unig ffrind oedd gen i'n y byd,
Ond does neb yn holi amdana i ddim mwy
Does neb yn poeni amdana i ddim mwy.

Mi fues i'n cwffio dros 'y ngwlad
ble mae bomiau'n agos a bywyd yn rhad,
Gwaed yn drewi yn y tywod a'r baw,
sgrechian plant i'w glywed o draw,
Ond does neb yn holi amdana i ddim mwy,
Does neb yn poeni amdana i ddim mwy.

Mi fues i'n byw dros 'y ngwlad,
ond ches i ddim rheswm nac eglurhad
Sut oedd chwalu cartrefi yn Fallujah bell
yn helpu Irac a gneud eu gwlad yn well,
A does neb yn holi amdana i ddim mwy,
Does neb yn poeni amdana i ddim mwy.

Digon hawdd i'r politisians yn eu seddi saff,
ni sy'n gorfod diodde a cherdded y rhaff,
Pa les lladd Iraciaid yn eu gwlad eu hun,
yn enw pa dduw, er lles i ba ddyn?
A does neb yn holi amdana i ddim mwy,
Does neb yn poeni amdana i ddim mwy.

Cyflwynaf y gân hon i gofio am y Dr Dafydd Alun Jones,
arloeswr ym maes PTSD, y cyflwr sydd wedi difetha bywyd
cymaint o gyn-filwyr, ac i bob bywyd a gafodd ei wastraffu
mewn rhyfeloedd di-angen.

Ffrwydrodd y bom, drylliwyd fy nghoes,
dwi adre mewn ysbyty yn disgwyl ers oes,
Mae fy llyfr wedi cau, mae'r fyddin wedi mynd,
does neb yn galw ond mam a'i ffrind,
A does neb yn holi amdana i ddim mwy,
Does neb yn poeni amdana i ddim mwy.

Rwy'n deffro bob nos ac yn gweld y gwaed,
fy mêt yn ddarnau o gwmpas fy nhraed,
Dwi'n saethu Iraciaid o hyd ac o hyd,
i ddiawl o ddim, heb bwrpas yn y byd,
A does neb yn holi amdana i ddim mwy,
Does neb yn poeni amdana i ddim mwy.

Roedd Rhyfel Irac yn un o'r digwyddiadau erchyll hynny sy'n diffinio cenhedlaeth, fel yn wir yr oedd Rhyfel Fietnam i'r 60au yn y ganrif ddiwethaf. Ac wrth edrych yn ôl ar y gyflafan ac ystyried y cannoedd o filoedd o fywydau a gollwyd, a'r difrod i un o wledydd mwyaf hanesyddol y byd a achoswyd gan yr ymladd – heb sôn am y biliynau o gost – mae'n anodd dirnad sut na allod ein gwledydd 'gwaraidd' fod wedi canfod ateb mwy synhwyrol i broblem Saddam Hussein. A'r hyn sy'n gwneud yr holl beth yn fwy afresymol fyth yw fod sail y rhyfel – sef bod gan Hussein arfau niwclear a'r gallu i'w ddefnyddio – yn gelwydd. Ond dylem fod wedi dysgu bellach nad oes synnwyr mewn rhyfel; os mai'r gwirionedd yw un o golledion cyntaf rhyfel, mae synnwyr yn dilyn yn agos ar ei ôl.

Un camgymeriad a wneir yn aml gan bleidwyr rhyfel yw ein bod ni 'heddychwyr' – neu o leiaf y rhai sy'n gwrthwynebu rhyfel – yn bychanu, neu ddilorni, dewrder y milwyr. Yn hollol i'r gwrthwyneb, yr hyn sy'n warth yn fy meddwl i yw fod bywydau ifanc yn cael eu gwastraffu drwy anfon milwyr i ryfeloedd nad oes modd yn y byd i'w cyfiawnhau. Cefais sawl sgwrs gyda Chymry a ddaeth yn ôl o ryfeloedd, a'u cael yn aml yn feirniadol iawn o'r ffaith nad oedd neb yn gallu egluro'n iawn pam yr oedden nhw yn ymladd – neu, os nad oedd yno ymladd, pwy yn union roedden nhw'n eu gwarchod, a pham. Roedd hyn yn wir am sawl un a fu yng Ngogledd Iwerddon, ac yn sicr yn wir am lawer un a fu yn Irac ac Afghanistan. Mae 'Cân y Milwr' wedi ei chyflwyno i'r diweddar feddyg Dafydd Alun Jones, arloeswr ym maes PTSD (Syndrom Effeithiau Trawma), salwch na chafodd ei gydnabod tan i bobol fel Dafydd Alun wneud ei waith mawr gyda chyn-filwyr. Cofiaf ymweld ag un o'r cartrefi a sefydlodd yn ardal Llandudno i gartrefu cyn-filwyr, ac yr oedd eu clywed nhw yn sôn am eu profiadau yn brofiad ysgytwol nad anghofiaf byth. Er bod y sefyllfa wedi gwella, mae ymhell o fod wedi ei datrys, ac y mae'r gân hon yn ceisio mynegi'r hyn sy'n dal i fod yn brofiad i gannoedd o gyn-filwyr yn anffodus, sef y teimlad eu bod wedi eu hanghofio, a'u bywydau wedi eu chwalu gan eu profiadau dirdynnol.

Yn fy sgyrsiau gyda chyn-filwyr, mae dwy stori yn dod i'r meddwl sy'n ymwneud â chaneuon. Milwr ifanc o gyffiniau Llanrhaeadr-ym-Mochnant oedd y cyntaf; roeddwn i a'r Band ar ein ffordd i noson mewn sgubor fynyddig ym mhellafoedd y Berwyn un tro – lle mor ddiarffordd nes i ni gredu ein bod ar goll. Roedd tyrfa y tu allan i un o dafarndai Llanrhaeadr, a gofynnais i'r llanc agosaf am y ffordd i'r fferm lle roedd y noson i fod, a chawsom gyfarwyddiadau manwl ganddo. Wrth ddilyn y lôn fynyddig i'w phen, roeddem yn argyhoeddedig na fyddai neb yn trafferthu dod yr holl ffordd i gig mewn sgubor yn y fath le. Ond ychydig a wyddem am barodrwydd ffans gwledig i dramwyo'n bell i fwynhau eu hunain! Erbyn naw, roedd y sgubor dan ei sang, a chafwyd noson i'w chofio. Fel yr oedd nodau olaf 'Hen Wlad fy Nhadau' yn distewi, daeth y gŵr ifanc a'n cyfeiriodd i'r lle, wedi ei arfogi â chydig o gwrw, ataf i ddweud ei fod adre am sbel o Afghanistan, ac wedi bod yn Irac cyn hynny, ac am ddiolch am y caneuon y byddai'n gwrando arnyn nhw yn ystod ei dymor ar faes y gad. 'A ti isio gweld be sy gen i ar 'y nghoes?' meddai, gan rowlio coes ei drowsus i fyny i ddangos tatŵ anferth ar hyd ei goes yn dweud 'Yma o Hyd'. Ac roedd y geiriau yn golygu mwy iddo na fedrwn i fyth wybod.

Mae'r ail stori rywbeth yn debyg, er mai yn Kosovo yr oedd y milwr wedi bod yn yr achos hwnnw. Un o ardal Wrecsam ydoedd, ac roedd yn awyddus iawn i ddweud ei hanes, a hynny mewn noson a drefnwyd gan Gymdeithas yr Iaith. Roedd criw eitha niferus o Gymry yn ei gatrawd, a llawer ohonyn nhw'n siarad Cymraeg. 'Roedden ni'n campio ar y bryn yma yn edrych lawr ar ddyffryn go fawr, a bob bore mi fydden ni'n codi a chware caneuon Cymraeg nes oedden nhw'n atseinio drwy'r dyffryn, a dy ganeuon di oedd lot ohonyn nhw. Ti ddim yn meindio nag wyt?' Dim o gwbwl meddwn innau, ond dwi ddim yn ddyn militaraidd iawn fy hun cofia, a tase raid imi fynd i'r fyddin, mae'n debyg mai gwrthod y byddwn i. 'Ia, ia, dan ni'n dallt hynny,' meddai, 'ond cofia di, roedd hi'n llawer haws i'r hogia fynd i gwffio ar ôl clywed "Yma o Hyd" yn bloeddio dros y cwm bob bore!'

Atgofion drwy Ganeuon – y gyfres sy'n gefndir i fiwsig ein dyddiau ni

Linda
yn adrodd straeon
SEIDR DDOE
ÔL EI DROED
PENTRE
LLANFIHANGEL
TÂN YN LLŶN
a chaneuon eraill

Ems
yn adrodd straeon
YNYS LLANDDWYN
COFIO DY WYNEB
PAPPAGIOS
Y FFORDD AC YNYS
ENLLI
a chaneuon eraill

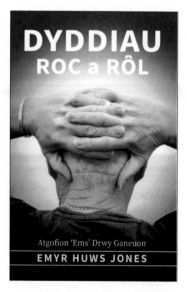

Doreen
yn adrodd straeon
RHOWCH I MI GANU
GWLAD
SGIDIAU GWAITH
FY NHAD
NANS O'R GLYN
TEIMLAD CYNNES
a chaneuon eraill

Richard Ail Symudiad
yn adrodd straeon
Y FFORDD I SENART
TRIP I LANDOCH
GRWFI GRWFI
CEREDIGION
MÔR A THIR
a chaneuon eraill

Y Cyrff
yn adrodd straeon
CYMRU LLOEGR A
LLANRWST
ANWYBYDDWCH NI
DEFNYDDIA FI
IFANC A FFÔL
a chaneuon eraill

Geraint Davies
yn adrodd straeon
DEWCH I'R
LLYSOEDD
HEI, MISTAR URDD
UGAIN MLYNEDD
YN ÔL
CYW MELYN OLA
a chaneuon eraill

Ryland Teifi
yn adrodd straeon
NÔL
YR ENETH GLAF
BRETHYN GWLÂN
LILI'R NOS
PAM FOD EIRA
YN WYN
MAN RHYDD
a chaneuon eraill

Neil Rosser
yn adrodd straeon
OCHR TREFORYS O'R
DRE
DYDDIAU ABER
MERCH Y FFATRI
DDILLAD
GITÂR NEWYDD
a chaneuon eraill

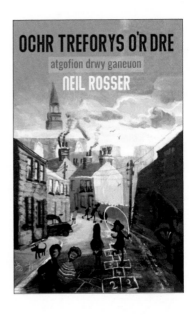

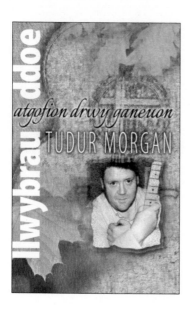

Tudur Morgan
yn adrodd straeon
LLWYBRAU DDOE
ENFYS YN ENNIS
STRYD AMERICA
GIATIA GRESLAND
PORTH MADRYN
a chaneuon eraill